437

I LIBRI DI
ALBERTO MORAVIA

Opere di Moravia

L'IMBROGLIO
LA MASCHERATA
I SOGNI DEL PIGRO
L'AMANTE INFELICE
AGOSTINO
LA ROMANA
LA DISUBBIDIENZA
GLI INDIFFERENTI
L'AMORE CONIUGALE
IL CONFORMISTA
I RACCONTI 1927-1951
ROMANZI BREVI
RACCONTI ROMANI
IL DISPREZZO
RACCONTI SURREALISTICI E SATIRICI
LA CIOCIARA
NUOVI RACCONTI ROMANI
LA NOIA
L'AUTOMA
LE AMBIZIONI SBAGLIATE
L'UOMO COME FINE
L'ATTENZIONE
IO E LUI
A QUALE TRIBÙ APPARTIENI?
BOH
LA BELLA VITA
LA VITA INTERIORE
1934
L'INVERNO NUCLEARE
L'UOMO CHE GUARDA
LA COSA
VIAGGIO A ROMA
LA VILLA DEL VENERDÌ
PASSEGGIATE AFRICANE
LA DONNA LEOPARDO
UN'IDEA DELL'INDIA
DIARIO EUROPEO
LA COSA E ALTRI RACCONTI
IMPEGNO CONTROVOGLIA
LETTERE DAL SAHARA
TEATRO

Alberto Moravia
L'amore coniugale

Realizzazione editoriale: ART Servizi Editoriali s.r.l. - Bologna

ISBN 88-452-4539-X

Via Mecenate, 91 - 20138 Milano

IV edizione Tascabili Bompiani luglio 2000

INTRODUZIONE
di
Massimo Onofri

La situazione di Alberto Moravia nel quadro della cultura italiana contemporanea si va facendo quasi imbarazzante. È proprio il caso di dirlo: tutte quelle ragioni che ne avevano determinato il sicuro successo, sin dal suo precocissimo esordio di scrittore ventiduenne, sembrano essere richiamate oggi per giustificarne non dico l'oblìo, ma il drastico ridimensionamento, se non nelle preferenze dei lettori, mai cadute, almeno nel borsino dei valori espressi dalla critica in questo inquieto finale di secolo. Un fatto è certo: con la pubblicazione di quel suo primo capolavoro, *Gli indifferenti* (e scriverà di lì a poco un racconto perfetto come *Inverno di malato*), Moravia si trovò di colpo accolto nella migliore società letteraria italiana senza dover attendere, neanche per un istante, in una qualche sala d'aspetto: e vi si trovò già formato, agguerrito e ben attrezzato, perfettamente riconoscibile nelle sue più autentiche qualità, senza aver dovuto patire alcuna faticosa stagione di apprendistato. A riceverlo, con tutti gli onori, era stato colui che passava, non senza ragione, per il più autorevole e prestigioso critico letterario del momento: Giuseppe Antonio Borgese. In un articolo del 21 luglio 1929, apparso sul "Corriere della Sera", Borgese, con mano sicura, profilava il ritratto di uno scrittore che sembrava portare impressi nel suo primo libro, come in un oroscopo, i segni del proprio futuro.

È vero, Borgese cercava alleati in quell'aspra battaglia che aveva ingaggiato per il romanzo contro i fautori della prosa d'arte, i fanatici del frammentismo, convinto com'era che si fosse per aprire, dopo la folgorante apparizione di un romanziere quale Tozzi, un nuovo "tempo di edificare": e non dovette costargli molto sforzo il riconoscere nell'opera di Moravia "un'arte di scrittura molto bella, perché depurata di ogni belluria, giusto il contrario del vescicante calligrafico, del falso e intossicato bello scrivere" che era la vera malattia di tanta letteratura coeva. Ciò non toglie che il suo articolo, scritto in presa diretta, difficilmente avrebbe potuto essere più penetrante ed esatto nel tracciare i lineamenti di uno scrittore che sembrava avere "tutti i requisiti per chiamarsi, novecentista o novecentiere". E Borgese, in tal senso, ammoniva: "Gl'Indifferenti! Potrebb'essere un titolo storico". Novecentista o novecentiere, non importa quale potesse essere il termine preferito, il destino di Moravia, in quell'estate del 1929, era stato ormai scritto: qualunque critico avesse voluto indicare uno scrittore che ricapitolasse in sé le qualità di un secolo neanche più così acerbo, avrebbe trovato in questo giovane dall'"intelligenza seria, grave, esperta dei vizi umani", quel che faceva al suo caso.

Quale fosse la principale qualità di questo "novecentiere", e tale da connotare un secolo quasi tutto a venire, è presto detto, con le parole dello stesso Borgese: uno "psicologismo, ben solido, ben tridimensionale". Uno psicologismo tridimensionale, si badi, che si accordava magistralmente alle "fosforescenze guaste", non tanto di Bontempelli, quanto di Pirandello, non il Pirandello delle novelle, piuttosto quello dei *Sei personaggi*. Uno psicologismo che poi, quanto alla tecnica narrativa, non ignorava di certo la grande lezione di Dostoevskij, lo scrittore che, "scrutando ogni increspamento della subcoscienza", aveva saputo accumulare, in certi romanzi, "cento pagine su una sola ora di vita". Uno psicologismo, si aggiunga, condotto con coscienza implacabile ed oggettiva, tale da non indulgere a moralismo né a "complicità perverse", agitata appena da un sentimento che poteva essere definito come un "confidenziale ribrezzo". Ce n'era già abbastanza, lo si capisce, per fare di Moravia il rappresentante più blasonato di una vera e propria araldica novecentesca. Si deve aggiungere soltanto che quegli "indifferenti", discendenti diretti di Filippo Rubè e Zeno Cosini, non avrebbero tardato ad offrire il più sicuro degli appigli ad ogni mitografia del personaggio novecentesco.

È quasi impressionante il constatarlo: ma Moravia, così come Borgese lo figura, sembra avere i tratti peculiari di un Novecento diventato presto canonico, il secolo "del ciò che non siamo", del "ciò che non vogliamo", quello che Croce, come preconizzandolo, e in qualche modo antivedendolo, aveva scomunicato in un suo celebre saggio del 1907, *Di un carattere della più recente letteratura italiana*. Un secolo in cui, per tramite di Moravia, potevano convergere profondismo e sentimento della negatività. Se le cose stanno così, nessuno potrà sorprendersi del fatto che, complice lo stesso Moravia, sempre generoso di delucidazioni, di chiarificazioni concettuali relative alla sua opera, la critica abbia presto tradotto quel profondismo intravisto da Borgese in termini ideologicamente più pertinenti, nel segno di un Novecento, per dirla in una battuta, sempre più novecentesco: il Novecento declinato nel marxismo e nella psicanalisi. Un esempio chiaro, in tal senso, è lo studio critico che Edoardo Sanguineti congedava nel 1962. Si capisce bene, insomma, come l'articolo di Borgese sia stato insieme, per Moravia, una straordinaria consacrazione ed una inesorabile condanna: trasformando l'immagine sua di scrittore in una sorta di icona rassicurante, almeno sin quando si volle dare al Novecento un'interpretazione che privilegiasse, appunto, l'ideologia e la psicologia del profondo.

Posso chiarire meglio, adesso, il senso della mia affermazione iniziale: che le ragioni del successo di Moravia coincidano, appunto, con quelle della sua attuale sfortuna. Un punto mi sembra chiaro: se gli stemmi della psicanalisi e del marxismo, tempestivamente inalberati, poterono costituire il salvacondotto della precoce e conclamata fama di Moravia, per gli stessi motivi, ora che il profondismo novecentesco è entrato in crisi, l'ingiuria o, se si vuole, il beneficio del tempo cominciano a farsi negativamente sentire. È altrettanto evidente, però, che se Moravia ancora vive nel gusto dei lettori, le ragioni critiche dovranno essere cercate in tutt'altra direzione che non quella del coltivatissimo campo degli "ismi" contemporanei. Esperimento che tenterò proprio con questo *Amore coniugale*, opera, se si vuole, ad alta temperatura psicanalitica, e considerata da coloro che non l'apprezzarono persino didascalica nei suoi ideologici intenti.

Moravia cominciò a scrivere *L'amore coniugale* nel 1941, in uno dei suoi soggiorni a Capri con Elsa Morante, che in quello stesso anno aveva sposato: il romanzo sarebbe stato pubblicato però solo nel 1949, insieme ad altri racconti. Nelle stesse circostanze, e nello stesso torno di tempo, lo scrittore pose mano ad *Agostino*, poi apparso nel 1943, ed alla *Disubbidienza*, anch'essa data alle stampe nel 1949. Confessiamolo: il matrimonio recente, la composizione quasi contemporanea di due romanzi concisi e bruschi dedicati all'adolescenza, al rapporto figlio-genitore, tutto congiurerebbe in modo da far scivolare l'indagine critica sul confortevole, rassicurante terreno, dell'interpretazione psicanalitica. Lo stesso movimento del libro di Moravia sembrerebbe ulteriormente autorizzare questa impressione: un movimento esattamente opposto a quello di un grande scrittore ottocentesco ossessionato dalla vita coniugale: Lev Tolstoj.

Si ricorderà il celebre *incipit* di *Anna Karenina* che cito nella traduzione di Leone Ginzburg: "Tutte le famiglie felici si assomigliano fra loro, ogni famiglia infelice è infelice a suo modo". Per Tolstoj, in effetti, vi sono tante infelicità coniugali quante sono le famiglie infelici: il vigoroso scrittore russo ha di fronte a sé il grande mare della vita, riconosce le forme molteplici del dolore umano, non vuole, né può ricondurle ad un qualche principio primo di spiegazione; quel che gli interessa è la tragica passione di Anna sposata senz'amore al brillante e fatuo Vronskij, l'irripetibile e particolarissimo decorso di quella passione. Diversissimo è l'atteggiamento di Moravia: lo scrittore non ha altro desiderio che quello di risalire da un caso particolare alla misteriosa legge che lo governa, si vuole induttivo, ma solo fintanto che la vita sembra sfuggire alla sua implacabile intelligenza analitica, di modo che, una volta afferrata una qualche verità, tale verità possa essere sviluppata con ferrea coerenza deduttiva. Insomma: di fronte all'amore devoto e remissivo della moglie Leda, di fronte alla sua buona volontà, la preoccupazione di Silvio, un intellettuale di modeste qualità letterarie, ma ambizioso e velleitario, pare quella di afferrarne il segreto, d'impossessarsene, di modo che, ciò che appare come un umano mistero, possa dissolversi nella luce di un'evidenza nuda, di una conclusione logica ed universalmente riconoscibile.

Se le cose stanno così, dovremmo allora ammettere quel che, invece, sto tentando di problematizzare: che cioè *L'amore coniugale* sia interpretabile come un esercizio di psicologia del profondo, che la storia di Silvio Baldeschi e sua moglie vada solo a confermare una possibile casistica psicanalitica. Ma attenzione: se Moravia allestisce infatti una specie di teatro psicanalitico entro cui vanno a muoversi i suoi personaggi, il dramma che poi sul palcoscenico si svolge non ha alcuno scioglimento nella direzione in cui ci si aspetterebbe. Questo, infatti, è il punto: Moravia, quanto alle modalità ed agli approdi della sua scrittura, pare procedere nel suo romanzo secondo i dettami di una sorta di contro-psicanalisi. Se l'indagine psicanalitica organizza i dati dell'analisi come sintomi di qualcos'altro, l'inconscio, riconducendo le apparenze più insignificanti ad una sintassi del profondo, l'investigazione di Moravia muove da alcune comuni e stereotipate convinzioni psicologiche per complicarne il senso e, magari, comprometterne la verità. Detto in altri termini, e magari con implicazioni di tipo stilistico: se la psicanalisi sottopone tutti i suoi dati ad una specie di accelerazione centripeta, in modo che le incongruenze di superficie convergano verso un centro di verità, la scrittura moraviana pare piuttosto governata da un'opposta accelerazione centrifuga, quella per cui le supposte verità del profondo trovino complicazione, se non smentita, al livello dell'evidenza sensibile.

Ma è venuto il momento che alle mie parole subentrino le cose, che le mie affermazioni, solo ipotetiche, e di ordine generale, trovino un qualche ancoraggio al testo. Sarà bene, allora, muovere dalla considerazione che apre il romanzo, una di quelle dettate da quella specie di senso comune psicologico di cui dicevo: "Prima di tutto voglio parlare di mia moglie. Amare, oltre a molte altre cose, vuol dire trarre diletto dal guardare e osservare la persona amata". Non è una dichiarazione di poco conto: il narratore, parlando del proprio amore, si concentra su quell'aspetto del sentimento che coincide con la contemplazione dell'oggetto amato. Come ci si rende subito conto, con la descrizione fisica della moglie, quel che interessa l'io narrante è ciò che cade in una dimensione di assoluta visibilità. E qui bisogna fare una prima osservazione: la scrittura di Moravia è tanto più facile, e così facile da scivolarci sopra, quanto meno gli oggetti resistono allo sguardo del narratore. Dicevo di una dimensione di assoluta visibilità: non sorprenderà, allora, che il primo sintomo di una verità psicologica diversa, da quella sino a quel momento intuita e descritta, sia registrato come un disturbo dell'immagine. Il narratore ha appena parlato della "bellezza inafferrabile" della moglie, comparandola a quella di "un riflesso di sole su un muro" e all'"ombra di una nuvola viaggiante sul mare", enfatizzandone il carattere "spirituale", i tratti di "armonia, serenità, simmetria", quindi nota: "Ma c'erano dei momenti in cui quel velo dorato si lacerava e non soltanto mi si rivelavano le numerose irregolarità ma anche assistevo ad una trasformazione penosa di tutta la sua persona".

C'è, dunque, nella bellezza di Leda un qualcosa di non facilmente decifrabile che la altera, la corrompe: "una smorfia grossa e muta in cui parevano esprimersi paura, angoscia, ritrosia e al tempo stesso una schifata attrazione", una smorfia che faceva risaltare la “naturale irregolarità” dei lineamenti, “dando a tutto il viso l’aspetto ripugnante di una maschera grottesca”, una smorfia dolorosa, si aggiunga, che si portava dietro, in quei particolari e incomprensibili momenti, come una laida contorsione di tutto il corpo, in una specie di spasmodico inarcamento tra repulsa e invito provocatorio. L’impressione che Silvio ne ricava è di sottile apprensione, quella che va a minare, sin dall’inizio, un’atmosfera che sembrava di riposata serenità: “L’atteggiamento era sguaiato e accompagnandosi talvolta alla smorfia del viso faceva quasi dubitare di trovarsi di fronte alla stessa persona ancora un momento prima così composta, così serena, così ineffabilmente bella”. Un’apprensione, per il momento, temperata, da una rassicurante constatazione: “Debbo dire, a questo punto, che smorfia e distorsione si verificavano molto di rado e mai nell’intimità dei nostri rapporti”.

Il lettore non sottovaluti quest’iniziale immagine di Leda: essa è veramente l’icona in cui possano ricapitolarsi, come *in aenigmate*, tutte le verità del romanzo. Se non si dimentica la storia del romanzo fallito di Silvio, per scrivere il quale in tutta tranquillità, si era trasferito con la moglie in campagna, se si annota poi l’irruzione di un elemento catalizzatore, Antonio, il barbiere di sconcia e repressa sensualità con cui Leda tradirà il marito in una specie di rito arcaico e ferino, si può veramente affermare che la vicenda del mistero erotico della donna, i diversi fotogrammi che fissano la sua immagine desiderata al confine dell’oscenità, la vittoria dell’apprensione di Silvio sulla sua iniziale serenità, siano veramente tutto in questo *Amore coniugale*: un romanzo di esilissima trama, come pochi altri in Moravia, ed interamente giuocato entro sequenze rallentatissime. Sequenze rallentatissime, si badi, che sono la conseguenza di una precisa e rigorosa scelta narrativa: quella di portare alla superficie dello sguardo ogni enigma di profondità, quella di far emergere ogni mistero dentro una dimensione che ho già definito di assoluta visibilità. Di questa scelta testimoniano alcuni luoghi del testo, quelli che mi piace definire punti caldi, punti in cui l'intenzione contro-psicanalitica di Moravia si palesa e giustifica.

Mi segua, il lettore, in questa catena di citazioni. Silvio ha appena descritto la bellezza pacificata del corpo della moglie, "così sfuggente", nella sua "accanita contemplazione", "ad ogni definizione": "Io avevo trovato, insomma, un mistero altrettanto grande, o almeno così mi pareva, che quelli della religione". Ma si veda anche questa riflessione sul barbiere, sulla cui personalità, dopo il colloquio col figlio del mezzadro, Silvio credeva ormai di saper tutto: "Insomma il mistero che avevo avvertito, quando non sapevo ancora nulla di lui, sussisteva anche adesso che credevo di saper tutto. Questo mistero era stato respinto indietro, in una zona meno accessibile, ecco tutto. Era, mi venne fatto di pensare, un po' come il mistero di tutte le cose, dalle grandi alle piccole: tutto si può spiegare salvo la loro esistenza". E ancora, assai significativamente: "Un mistero, per tutto dire, che si riproduce e sempre si riprodurrà ogni volta che si abbandona la superficie delle cose e si scende nel profondo". Ecco: il sentimento del mistero che dislaga a scapito dell'ostinazione razionale nel voler capire la vita; la convinzione di poter spiegare tutto, circa le cose, ad eccezione della loro esistenza; l'impressione, sempre più chiara, del fatto che il mistero dell'esistenza, degli eventi che la caratterizzano, sia destinato a crescere ogni qualvolta si abbandoni la superficie delle cose, quel che è visibile di esse, per dirigersi verso un'ipotetica profondità.

Silvio Baldeschi, alla fine del romanzo, si troverà a spiare la moglie mentre si congiunge col barbiere su un'aia: e le scoprirà sul viso "teso e cupido dagli occhi dilatati", nel corpo che si contorce spasmodicamente, quella deformante e sgradevole smorfia che, come abbiamo detto, non le aveva mai scorto nei loro rapporti intimi, viso e corpo, si aggiunga, finalmente liberati in "una danza senza musica e senza regola ma non per questo meno ubbidiente ad un suo ritmo furioso". Tale scoperta è immediatamente successiva a quella di aver scritto un libro "privo di senso artistico, velleitario, intenzionale e sterile", un libro che sancisce il fallimento delle sue ambizioni letterarie e che, guarda caso, è dedicato al rapporto tra i coniugi e s'intitola *L'amore coniugale*. Potrei, a questo punto, giuocando sul tema ipernovecentesco del libro scritto come al quadrato, del libro che parla di un letterato il quale, appunto, sta scrivendo il libro che il lettore sta leggendo, abbandonarmi insomma ai giuochi metanarrativi di tanta critica post-borghesiana nostrana: non è questo, però, che qui mi preme fare.

Più interessante, invece, il constatare che Silvio Baldeschi, man mano che la storia si sviluppa, e si carica di mistero, non possa fare a meno di svolgere le sue considerazioni di ordine psicologico, nell'articolazione di quella specie di repertorio di luoghi comuni psicanalitici a cui ho già accennato. Di fronte al tradimento inaspettato della moglie, dopo un primo momento di smarrimento, si trova infatti a ricostruire razionalmente gli eventi per trovarne infine una spiegazione. Il nodo del rapporto coniugale, quello che avviluppa un amore così ambiguo e complicato, può finalmente essere sciolto: "Pensai che si ama sempre ciò che non si possiede: lei tutta torbido istinto doveva per forza venerare la chiara ragione mentre io tutto esangue ragione era giusto che fossi attirato dalla ricchezza dell'istinto". Potremmo dunque concludere che l'enigma dell'amore coniugale è stato risolto? Potremmo affermare che la sua verità sia traducibile in termini così schematicamente e rozzamente psicanalitici?

La verità, se quello che sinora è stato notato ha un suo fondamento, è un'altra: questa è soltanto il semplicistico approdo del personaggio Silvio Baldeschi, per giunta momentaneo. Se andiamo alle ultime pagine, quando Silvio e sua moglie terminano la loro passeggiata ai piedi di un'antica chiesa romanica, il senso del romanzo ci apparirà più chiaro. Su uno dei capitelli della chiesa "era scolpita una faccia o una maschera": "Mi colpì ad un tratto, in quella vetusta smorfia semicancellata, una lontana somiglianza con lo sberleffo che avevo veduto in viso a mia moglie la notte avanti. Sì, era la stessa smorfia, e quello scalpellino dei tempi perduti aveva certamente voluto alludere allo stesso genere di tentazione, caricando la sensualità lamentosa delle grosse labbra e la espressione infuocata e cupida degli occhi. Stornai gli occhi dal capitello e guardai Leda". Ecco: le generiche, meccaniche conclusioni di Silvio, circa il suo rapporto coniugale, sembrano vanificarsi di colpo; a vincere è, piuttosto, il sentimento di un mistero arcaico. La storia di Leda sembra come sollevarsi dentro un'atmosfera di ieratico stupore: un'atmosfera che autorizza perfettamente la definizione che, di questo romanzo breve, ha dato Enzo Siciliano nell'introduzione al volume delle *Opere. 1948-1968* pubblicato da Bompiani nel 1989, quando ha parlato di "parabola iniziatica o mistero morale".

Ho detto di un enigma arcaico, un enigma che involge l'oscura natura delle passioni umane. Cade in taglio, a questo proposito, una fulminante notazione di Contini, che, nella sua *Letteratura dell'Italia unita*, quanto ai "meccanismi psicologici" del romanzo, fece i nomi di Teofrasto e La Bruyère, autore dei memorabili *Caratteri*: aggiungerei pure, dato che ci siamo, quelli di François de La Rochefoucauld e Luc de Clapiers de Vauvenargues, se è vero che costoro hanno scritto per smascherare il fondo passionale di tutti quegli atteggiamenti che sembrano i più lontani dalle passioni, per mostrare come soltanto le passioni abbiano potuto insegnare agli uomini la ragione. Questo è, infatti, il punto: quel che della psicanalisi rimane è soltanto il generale e generico contrasto tra es e super-io, tra eros e thanatos, tra eros e civiltà, ma dissolti nella misteriosa, per nulla codificabile, dialettica della vita. La decisione finale di Silvio di rimandare la stesura del suo romanzo a tempi migliori è la più chiara capitolazione di fronte alla difficoltà di arrivare alla profondità di quel che viviamo. Leda, il suo amore per Silvio, sono e restano quel che sono: la loro verità coincide esattamente con quello che vediamo; tutto, delle cose si può spiegare, "salvo la loro esistenza"; tutto si complica quando "si abbandona la superficie delle cose".

Non voglio arrivare qui a dire che *L'amore coniugale* sia quasi una palinodia dell'inquisizione psicanalitica: per arrivare a questo, e non sarebbe difficile mostrarlo, bisognerà attendere *Il disprezzo*, che è del 1954. I due romanzi costituiscono un dittico ed hanno per oggetto lo stesso tema, l'amore matrimoniale: se, però, nell'*Amore coniugale* si parte da una condizione di placida e lucida consapevolezza, appena minata da un'indecifrabile inquietudine, e si approda al mistero, nel *Disprezzo* si muove da una situazione misteriosa, l'improvviso e inspiegabile disprezzo di una moglie per il proprio marito, per approdare poi ad un'accettazione della vita con tutti i suoi irrisolvibili enigmi. Ma qui bisognerebbe iniziare un altro discorso.

Massimo Onofri

BIBLIOGRAFIA ESSENZIALE

Bibliografia generale

La bibliografia che segue è stata selezionata in base ai seguenti criteri:
– contributi significativi
– testi in lingua italiana (anche in traduzione)
– in linea di massima monografie complessive, cioè che si soffermino su più aspetti e/o opere di Moravia.

F. Alfonsi, *Moravia in Italia. Un quarantennio di critica (1929-69)*, Carello, Catanzaro 1986.

F. Alfonsi-S. Alfonsi, *An Annotated Bibliography of Moravia Criticism in Italy and in England*, Garland Publ., New York-London 1976.

G.B. Angioletti, *Orientamenti della poesia e del romanzo*, ACI, Torino 1957.

G. Antignani, *Scrittori contemporanei*, Pironti, Napoli 1950.

S. Antonielli, *Dal decadentismo al realismo*, in *Orientamenti culturali*, III, Marzorati, Milano 1958.

M. Apollonio, *Letteratura dei contemporanei*, La Scuola, Brescia 1956.

A. Asor Rosa, *Centralismo e policentrismo nella letteratura italiana unitaria*, in *Letteratura italiana. Storia e Geografia. L'età contemporanea*, vol. III, Einaudi, Torino 1989, pp. 45-7.

L. Baldacci, *Letteratura e verità*, Ricciardi, Milano-Napoli 1963.

B. Baldini Mezzalana, *Alberto Moravia e l'alienazione*, Ceschina, Milano 1971.

G. Baldissone, *Le voci della novella*, Olschki, Firenze 1992.

G. Bàrberi Squarotti, *La narrativa italiana del dopoguerra*, Cappelli, Bologna 1968.

R. Barilli, *La barriera del naturalismo*, Mursia, Milano 1964.

B. Basile, *La finestra socchiusa. Ricerche tematiche su Dostoëvskij, Kafka, Moravia e Pavese*, Patron, Bologna 1982.

S. Battaglia, *La narrativa di Moravia e la defezione della realtà*, in "Filologia e Letteratura", VIII, II, 1961, pp. 113-42.

M. Battilana, *Critica letteraria e psicanalisi*, in "Prospetti", 18-19, 1970, pp. 200-10.
C. Benussi, *Il punto su Moravia*, Laterza, Bari 1987.
C. Benussi, *Introduzione alla lettura di Moravia*, in "Problemi", 82, 1988, pp. 163-92.
R. Bertacchini, *Figure e problemi di narrativa contemporanea*, Cappelli, Bologna 1961.
F. Biondolillo, *I contemporanei. Panorama della letteratura italiana odierna*, Padova 1948.
C. Bo, *Il posto di Moravia nella narrativa di oggi*, in "La Fiera letteraria", 18 marzo 1951.
C. Bo, *Riflessioni critiche*, Sansoni, Firenze 1955.
C. Bo, *Inchiesta sul neorealismo*, ERI, Torino 1956.
C. Bo, *Per Alberto Moravia*, in "Nuova Antologia", ottobre-dicembre 1990, pp. 263-7.
E. Bonessio di Terzet, *Esperienza estetica e realtà*, Città Nuova, Roma 1976.
C. Bragaglia, *Il piacere del racconto. Narrativa italiana e cinema*, La Nuova Italia, Firenze 1993.
S. Briosi, *Alberto Moravia*, in *Dizionario critico della letteratura italiana*, vol. III, UTET, Torino 1986².
C. Brumati, *Alberto Moravia dagli "Indifferenti" al "Conformista"*, in "Ausonia", X, 1955, pp. 27-42.
E. Cane, *Il discorso indiretto libero nella narrativa italiana del '900*, Silva, Roma 1969.
U. Carpi, *Alberto Moravia*, in *Un'idea del '900. 10 poeti e 10 narratori del '900*, a cura di P. Orvieto, Salerno, Roma 1984.
L. Caruso-B. Tomasi, *I padri della fallocultura*, SugarCo, Milano 1974.
G. Cattaneo, *Letteratura e ribellione*, Rizzoli, Milano 1972.
G. Cecchetti, *Alberto Moravia*, in "Italica", XXX, 3, 1953, pp 153-67.
E. Cecchi, *Di giorno in giorno*, Garzanti, Milano 1954.
N.F. Cimmino, *Lettura di Moravia*, Volpe, Roma 1966.
E. Circeo, *La narrativa di Moravia dagli "Indifferenti" a "La noia"*, in "Rassegna di cultura e di vita scolastica", 30 settembre 1961, pp. 4-6.
G. Contini, *Letteratura dell'Italia unita (1861-1968)*, Sansoni, Firenze 1968.
L. Crocenzi, *La donna nella narrativa di Alberto Moravia*, Mangiarotti, Cremona 1964.
M. David, *Letteratura e psicanalisi*, Mursia, Milano 1967.
M. David, *La psicoanalisi nella cultura italiana*, Bollati-Boringhieri, Torino 1990 [nuova edizione].
G. Debenedetti, *Saggi critici*, Mondadori, Milano 1955.
G. Debenedetti, *Il romanzo del Novecento. Quaderni inediti*, Garzanti, Milano 1971.
O. Del Buono, *Moravia*, Feltrinelli, Milano 1962.
S. Del Giudice, *Moravia. Saggio critico*, Barca, Napoli 1958.

E. De Michelis, *Introduzione a Moravia*, La Nuova Italia, Firenze 1954.
M. Depaoli, *Il fondo "Alberto Moravia"*, in "Autografo", n. 15, ottobre 1988.
P. De Tommaso, *Narratori italiani contemporanei*, Ateneo, Roma 1967.
G. De Van, *Il realismo culturale di Alberto Moravia*, in "Belfagor", XXVIII, 2, 31 marzo 1973, pp. 222-34.
R. Esposito, *Il sistema dell'in/differenza. Moravia e il fascismo*, Dedalo, Bari 1978.
C. Falconi, *I vent'anni di Moravia*, in "Humanitas", v, 2, pp. 189-205.
E. Falqui, *Prosatori e narratori del Novecento italiano*, Einaudi, Torino 1950.
E. Falqui, *Novecento letterario*, Vallecchi, Firenze 1963.
E. Falqui, *Moravia tra i classici*, in "L'Approdo letterario", 42, 1968, pp. 67-76.
D. Fernandez, *Il romanzo italiano e la crisi della coscienza moderna*, Lerici, Milano 1960 [Paris 1958[1]].
G. Ferroni, *Storia della letteratura italiana. Il Novecento*, Einaudi, Torino 1991.
G. Finzi, *No, non è il più grande scrittore del 900*, in "Millelibri", 36, novembre 1990.
L. Fiorentino, *Narratori del '900*, Mondadori, Milano 1965.
F. Flora, *Scrittori italiani contemporanei*, Nistri Lischi, Pisa 1952.
F. Flora, *Storia della letteratura italiana*, vol. v, Mondadori, Milano 1953 [1945[1]].
B. Fornari-F. Fornari, *Psicoanalisi e ricerca letteraria*, Principato, Milano 1974.
M. Forti, *Per un ritratto critico di Moravia*, in "Aut aut", 69, maggio 1962, pp. 245-66.
R. Frattarolo, *Moravia e la critica*, in "La Fiera letteraria", 18 marzo 1951.
R. Frattarolo, *Ritratti letterari e altri studi*, Giardini, Pisa 1966.
C. E. Gadda, *I viaggi, la morte*, Garzanti, Milano 1958.
C. Garboli, *La stanza separata*, Mondadori, Milano 1969.
E. Giannelli, *Basta con Moravia*, Roma 1980.
A. Giuliani, *Moravia, interiore posteriore*, in *Pubblico 1979. Produzione letteraria e mercato culturale*, a cura di V. Spinazzola, il Saggiatore, Milano 1980.
G. Grana, *Moravia dall'indifferenza alla noia*, in *Profili e letture di contemporanei*, Marzorati, Milano 1962, pp. 193-9.
E. Groppali, *L'ossessione e il fantasma. Il teatro di Pasolini e Moravia*, Marsilio, Venezia 1979.
A. Guglielmi (a cura di), *Vent'anni di impazienza*, Feltrinelli, Milano 1965.
J. Jacobelli (a cura di), *Per Moravia*, Salerno, Roma 1990.
A. La Torre, *La magia della scrittura*, Bulzoni, Roma 1987.
A. Limentani, *Alberto Moravia tra esistenza e realtà*, Neri Pozza, Venezia 1962.
F. Longobardi, *Alberto Moravia*, "Il Castoro", La Nuova Italia, Firenze 1969.

R. Luperini, *Il Novecento. Alberto Moravia: dalla coscienza della crisi alla crisi della coscienza*, Loescher, Torino 1981.
E. Lupetti, *Alberto Moravia*, Cenobio, Lugano 1957.
G. Luti, *Narrativa italiana dell'800 e 900*, Sansoni, Firenze 1964.
G. Manacorda, *Alberto Moravia*, in W. Binni (diretto da), *I classici italiani nella storia della critica*, vol. III, La Nuova Italia, Firenze 1977, pp. 777-835.
G. Manacorda, *Storia della letteratura italiana contemporanea (1940-75)*, Editori Riuniti, Roma 1977.
G. Manacorda, *Storia della letteratura italiana fra le due Guerre (1919-1943)*, Editori Riuniti, Roma 1980.
C. Marabini, *Gli anni Sessanta. Narrativa e storia*, Rizzoli, Milano 1969.
P. Mattei (a cura di), *Moravia*, in "Wimbledon", 7, 1990, pp. 2-9.
W. Mauro, *Realtà, mito e favola nella narrativa italiana del Novecento*, SugarCo, Milano 1974.
W. Mauro, *Il ponte di Glienike. La letteratura della disfatta*, Grisolia, Marina di Belvedere (CZ) 1988.
P. Milano, *Il lettore di professione*, Feltrinelli, Milano 1960.
A. Miotto, *Moravia e la psicanalisi*, in "La Fiera letteraria", 30 gennaio 1949.
M. Mizzau, *Tecniche narrative e romanzo contemporaneo*, Mursia, Milano 1965.
A. Momigliano, *Storia della letteratura italiana*, Principato, Milano-Messina 1966[8].
G. Pampaloni, *Realista utopico*, in Alberto Moravia, *Opere (1927-47)*, Bompiani, Milano 1986.
G. Pampaloni, *Alberto Moravia*, in *Letteratura italiana. Il 900*, vol. II, Garzanti, Milano 1987.
P. Pancrazi, *Scrittori d'oggi (IV serie)*, Laterza, Bari 1946.
G. Pandini, *Invito alla lettura di Moravia*, Mursia, Milano 1973.
R. Paris, *Alberto Moravia*, La Nuova Italia, Firenze 1991.
P.P. Pasolini, *Passione e ideologia*, Garzanti, Milano 1960.
W. Pedullà, *La letteratura del benessere*, Libreria Scientifica, Napoli 1968.
W. Pedullà, *Le caramelle di Musil*, Rizzoli, Milano 1993.
L. M. Personé, *Scrittori italiani moderni e contemporanei: saggi critici*, Olschki, Firenze 1968.
M. Piccinonno, *Discorrendo di Alberto Moravia*, Edizioni del Grifo, Lecce 1992.
L. Piccioni, *La narrativa italiana fra romanzi e racconti*, Fabbri, Milano 1959.
L. Piccioni, *Maestri e amici*, Rizzoli, Milano 1969.
G. Pullini, *Volti e risvolti del romanzo contemporaneo*, Mursia, Milano 1971.
G. Pullini, *Narratori del Novecento*, Marsilio, Padova 1972[4].
G. Pullini, *Tra esistenza e coscienza. Narrativa e teatro del '900*, Mursia, Milano 1986.
G. Pullini, *Un personaggio scomodo come una coscienza critica*, in *Alberto Moravia. Il narratore e i suoi testi*, La Nuova Italia Scientifica, Roma 1987.

E. Ragni, *Alberto Moravia*, in *Letteratura italiana contemporanea*, a cura di G. Mariani, M. Petrucciani, vol. II, Lucarini, Roma 1980.
G. Rando, *La bussola del realismo*, Bulzoni, Roma 1992.
M. Ricciardi, *Lo stile di Moravia*, in *Alberto Moravia. Il narratore e i suoi testi*, La Nuova Italia Scientifica, Roma 1987.
L. Russo, *I narratori*, Principato, Milano-Messina 1958.
U. Saba, *Scorciatoie e raccontini*, Mondadori, Milano 1946.
C. Salinari, *Preludio e fine del realismo in Italia*, Morano, Napoli 1967.
E. Sanguineti, *Alberto Moravia*, Mursia, Milano 1962.
N. Sapegno, *Storia della letteratura italiana*, vol. III, La Nuova Italia, Firenze 1954.
S. Saviane, *Moravia desnudo*, SugarCo, Milano 1976.
S. Saviane, *Il nuovo Moravia desnudo*, GEI, Milano 1986.
I. Scaramucci, *Romanzi del nostro tempo. Moravia tra esistenzialismo e freudismo*, La Scuola, Brescia 1956.
I. Scaramucci, *Alberto Moravia*, in *Letteratura italiana. I contemporanei*, vol. II, Marzorati, Milano 1963, pp. 1455-81.
I. Scaramucci, *Studi sul Novecento*, IPL, Milano 1968.
F. Schettino, *Proposte di lettura. Guida di Moravia con note di metodologia*, in "Belfagor", XXX, 30 settembre 1975, pp. 569-82.
E. Siciliano, *Campo de' Fiori*, Rizzoli, Milano 1993.
O. Sobrero, *Il romanzo per Moravia*, in "Inventario", VI, 1-2, gennaio-aprile 1954, pp. 155-71.
O. Sobrero, *Il Moravia novelliere*, in "Inventario", VI, 3-4, maggio-dicembre 1954, pp. 156-78.
G. Sommavilla, *Peripezie dell'epica contemporanea. Dialettica e mistero*, Jaka Book, Milano 1980.
G. Spagnoletti, *Romanzieri italiani del nostro secolo*, ERI, Torino 1960.
G. Spagnoletti, *La letteratura italiana del nostro secolo*, vol. II, Mondadori, Milano 1985.
M. Sticco, *Dagli "Indifferenti" alla "Romana"*, in "Vita e Pensiero", febbraio 1948.
M. Sticco, *Il romanzo italiano contemporaneo*, Edizioni Vita e Pensiero, Milano 1953.
N. Tanda, *Realtà e memoria nella narrativa contemporanea*, Bulzoni, Roma 1970.
R. Tessari, *Alberto Moravia. Introduzione e guida allo studio dell'opera moraviana*, Le Monnier, Firenze 1975.
G. Trombatore, *Scrittori del nostro tempo*, Manfredi, Palermo 1959.
V. Volpini, *Prosa e narrativa dei contemporanei*, Edizioni Studium, Roma 1967.
P. Voza, *Coscienza e crisi: il '900 italiano. L'autore in cerca di personaggi*, Liguori, Napoli 1982.
T. Wlassics, *Da Verga a Sanguineti*, Giannotta, Catania 1974.

Interviste o riflessioni critico-autobiografiche

N. Ajello-A. Moravia, *Lo scrittore e il potere. Intervista sullo scrittore scomodo*, Laterza, Bari 1978[2].
F. Camon-A. Moravia, *Io e il mio tempo. Conversazioni critiche con F. Camon*, Edizioni Nord-Est, Padova 1988.
C. Cases, *Risposta a 8 domande sulla critica letteraria in Italia*, in "Nuovi Argomenti", 44-45, 1960, pp. 16-7.
G. Dego, *Tre giorni con Moravia*, in "Il Falco", 1977.
D. d'Isa, *Moravia. Dialoghi confidenziali con Dina d'Isa*, Newton Compton, Roma 1991.
A. Elkann-A. Moravia, *Vita di Moravia*, Bompiani, Milano 1990.
D. Maraini, *Il bambino Alberto*, Bompiani, Milano 1986.
A. Moravia, *"Gli indifferenti" giudicato dall'autore*, in "Il Tevere", 6 gennaio 1933.
A. Moravia, *Ricordo degli "Indifferenti"*, in "La Nuova Europa", 4 novembre 1945.
A. Moravia, *Storia dei miei libri*, in "Epoca", 28 marzo 1953.
A. Moravia, *Risposta a 9 domande sul romanzo*, in "Nuovi Argomenti", maggio-agosto 1959.
A. Moravia, *Gli Italiani non sono cambiati*, in "L'Espresso", 2 agosto 1959.
A. Moravia, *Risposta a 8 domande sulla critica letteraria in Italia* , in "Nuovi Argomenti", 44-45, 1960, pp. 59-62.
A. Moravia, *L'uomo come fine*, Bompiani, Milano 1964.
A. Moravia, *Volevo scrivere una tragedia, è nato un romanzo*, in "Corriere della Sera Illustrato", 19 maggio 1979.
A. Moravia, *Breve autobiografia letteraria*, in *Opere 1927-47*, Bompiani, Milano 1986.
A. Moravia, *Diario cinese 1986*, a cura di D. Maraini, in "Nuovi Argomenti", III, 38, aprile-giugno 1991, pp. 21-6.
A. Moravia, *Lettere di viaggio 1934-39*, a cura di D. Maraini, in "Nuovi Argomenti", III, 39, luglio-settembre 1991, pp. 15-30.
E. Siciliano, *Alberto Moravia, vita, parole e idee di un romanziere*, Bompiani, Milano 1982.
L. Vaccari, *Il mio Edipo per caso. "Gli indifferenti" compiono 60 anni*, in "Il Messaggero", 16 luglio 1989.

Scelta bibliografica su L'amore coniugale

Anonimo, "*L'amore coniugale*", "L'uomo libero", 8.10.49
Anonimo, "*L'amore coniugale*", "Il Vesuvio", 15.10.49
Anonimo, "*L'amore coniugale*", "Diritti della scuola", 30.12.49

Anonimo, *Romanzieri italiani*, “Risorgimento”, 14.1.50
Bocelli A., *Moravia o l’imbroglio*, “Il Mondo”, 5.11.1949
Cimmino N.F., *Ombre e luci di Moravia*, “Idea”, 20.11.1949
Contessi P.L., *Una storia coniugale e una storia italiana*, “Il Mulino”, IV (3.3.1955), pp. 279-81
Costantini C., *L’ultimo Moravia*, “Gazzetta del Mezzogiorno”, 16.4.1949
De Micheli M., *Personaggi della borghesia*, “l’Unità”, 28.2.1950
De Robertis G., *“L’amore coniugale” di A. Moravia*, “Tempo”, 5.8.1950
Decaunes L., *“L’amore coniugale” e “La disubbidienza” di Moravia*, “Cahiers du Sud”, 1949, p. 296
Del Pizzo G., *“L’amore coniugale”*, “Elefante”, 20.10.1949
Delpech J., *“L’amore coniugale” e “Le ambizioni sbagliate”*, “Les Nouvelles littéraires”, settembre 1949
Landolfi A., *Tramonto di Moravia*, “Quaderni di cultura”, aprile 1949
Lupetti E., *Narratori contemporanei: il paesaggio in Moravia*, “Cenobio”, luglio-agosto 1956, pp. 267-293
Marinese L., *Ambizioni di Moravia*, “Progresso d’Italia”, 1.8.1950
Mele A., *A. Moravia verso l’uomo*, “Il Corriere di Foggia”, 10.1.1949
Muccini L., *Moravia e l’America*, “Successo”, agosto 1964, pp. 32-3
Munzi U., *Sartre: “Quel volgare di Moravia”*, “Corriere della Sera”, 25.11.1993
Petroni G., *Intelligenza e passione di A. Moravia*, “La Fiera letteraria”, 23.10.1949
Rassoli F., *“L’amore coniugale”*, “...E chi non sa suo danno”, dicembre 1949
Ravegnani G., *Un romanziere gira attorno alla carne*, “Milano sera”, 26.11.1949
Sergi P., *“L’amore coniugale”*, “Il Nuovo corriere”, 27.12.1949
Ulivi F., *“L’amore coniugale e altri racconti”*, “Letteratura contemporanea – Arte”, I, 1 (gennaio-febbraio 1950), pp. 80-2
Un secondo curioso, *“Vita coniugale” di Lysipatos ed un altro*, “La Gazzetta sarda”, 5.12.1949
Valli C., *Questo il bilancio letterario di un anno*, “Gazzetta veneta”, 19.1.50
Virdia F., *Crudeltà di Moravia*, “Il Corriere di Sicilia”, 28.10.1949

Tonino Tornitore

CRONOLOGIA

1907

Alberto Pincherle nasce a Roma il 28 novembre in via Sgambati. Il padre Carlo Pincherle Moravia, architetto e pittore, era di famiglia veneziana. La madre, Gina de Marsanich, di Ancona. La famiglia aveva già due figlie, Adriana e Elena. Nel 1914 nascerà un altro figlio, Gastone, il quale morirà a Tobruk nel 1941. Alberto Pincherle "ebbe una prima infanzia normale benché solitaria".

1916-1925

All'età di nove anni si ammala di tubercolosi ossea, malattia che gli dura, con alternative di illusorie guarigioni e ricadute, fino a sedici anni.

Moravia parlando di questa malattia disse "che è stato il fatto più importante della mia vita". Passa cinque anni a letto: i primi tre a casa (1921-1923), gli ultimi due (1924-1925) nel sanatorio Codivilla di Cortina d'Ampezzo. Durante questo periodo i suoi studi sono irregolari, quasi sempre a casa. Frequenta, un anno soltanto, a Roma, il ginnasio "Tasso", più tardi vi ottiene "a mala pena" la licenza ginnasiale, "solo mio titolo di studio". Per compensare l'irregolarità degli studi, legge molto. Al sanatorio Codivilla si abbona al Gabinetto Vieusseux di Firenze. "Ricevevo un pacco di libri ogni settimana e leggevo in media un libro ogni due giorni." In quel periodo scrive versi, in francese e in italiano, che definirà bruttissimi, e studia con ostinazione il tedesco. L'inglese lo sapeva già.

1925-1929

Nel 1925, definitivamente guarito, lascia il sanatorio Codivilla e si trasferisce a Bressanone, in provincia di Bolzano, in convalescenza. A causa di un apparecchio ortopedico che porta per alcuni anni cammina con le grucce.

Legge molto: prima del sanatorio aveva già letto Dostoevskij, *Delitto e castigo* e *L'idiota* (che gli erano stati regalati da Andrea Caffi), Goldoni, Manzoni Shakespeare, Molière, Ariosto, Dante. Dopo il soggiorno in sanatorio, legge *Una stagione all'inferno* di Rimbaud, Kafka, Proust, i surrealisti francesi, Freud e l'*Ulisse* di Joyce, in inglese.

Nell'autunno del 1925 cessa del tutto di comporre versi e inizia la stesura de *Gli indifferenti*. Si dedica al futuro romanzo per tre anni, dal 1925 al 1928, essendo "ormai troppo indietro per continuare gli studi".

La salute ancora fragile lo porta a vivere in montagna passando da un luogo all'altro, sempre in albergo.

Nel 1926 incontra Corrado Alvaro che lo presenta a Bontempelli. Nel 1927 pubblica la sua prima novella, *Cortigiana stanca*, nella rivista "900" che Bontempelli aveva fondato un anno prima. La novella uscì in francese con il titolo *Lassitude de courtisane*, perché la rivista veniva allora stampata in edizione bilingue italiana e francese.

1929

Gli indifferenti dovevano uscire presso l'editore della rivista "900": "I novecentisti (Marcello Gallian, Aldo Bizzarri, Pietro Solari, Paola Masino, Margherita Sarfatti) si erano impegnati con Bontempelli a scrivere ciascuno un romanzo. Ma il solo che scrisse un romanzo fui io. Però l'editore di '900' che avrebbe dovuto pubblicare i nostri romanzi rifiutò il mio, dopo averlo letto, con la motivazione poco lusinghiera che era una 'nebbia di parole'".

Moravia parte per Milano per portare il romanzo a Cesare Giardini, allora direttore della casa editrice Alpes (il cui presidente era Arnaldo Mussolini). Pensando a una risposta in breve tempo, soggiorna a Stresa sul Lago Maggiore per un mese. Poi non avendo ricevuto risposta torna a Roma. Lì dopo sei mesi riceve una lettera "entusiasta" di Giardini, seguita poco dopo da una richiesta di pagare le spese dell'edizione: "non è possibile – scriveva Giardini – presentare in consiglio d'amministrazione un autore completamente ignoto". Moravia si fa prestare 5000 lire dal padre e fa uscire il romanzo nel luglio del 1929.

Il libro ebbe molto successo: la prima edizione di 1300 copie fu esaurita in poche settimane e fu seguita da altre quattro fra il 1929 e il 1933. Il libro poi venne ripreso dalla casa editrice Corbaccio dell'editore Dall'Oglio che ne pubblicò 5000 copie.

La critica reagì in modi diversi: Borgese, Pancrazi, Solmi furono molto favorevoli; Margherita Sarfatti sul "Popolo d'Italia" recensì il libro con grande simpatia, pur avanzando riserve d'ordine morale che accomunarono tutti coloro che si occuparono del libro. Sempre nel 1929 s'intensificarono le sue collaborazioni su riviste: Libero De Libero gli chiede di scrivere per "Interplanetario". Moravia vi pubblicherà alcuni racconti tra cui *Villa Mercedes* e un brano de *Gli indifferenti* che era stato omesso al momento della pubblicazione del volume e che s'intitola *Cinque sogni*.

1930-1935

Continua a scrivere novelle: *Inverno di malato* è pubblicata nel 1930 su "Pegaso", rivista diretta da Ojetti.

Incomincia a viaggiare e a scrivere articoli di viaggio su vari giornali: per "La Stampa", allora diretta da Curzio Malaparte, va in Inghilterra dove incontra Lytton Strachey, E.M. Forster, H.G. Wells, Yeats. Fra il 1930 e il 1935 soggiorna a Parigi e a Londra. "Frequentavo sporadicamente a Versailles il salotto letterario della principessa di Bassiano, cugina di T.S. Eliot, allora editrice della rivista 'Commerce', più tardi, a Roma, di 'Botteghe oscure'. Mi era stata presentata dal mio amico Andrea Caffi. Nel salotto incontravo Fargue, Giono, Valéry e tutto il gruppo destinato a chiamarsi 'Art 1926'."

I suoi rapporti con il fascismo peggiorano.

Nel 1933 Moravia fonda con Pannunzio la rivista "Caratteri" (ne usciranno quattro numeri). "Feci collaborare molti scrittori poi divenuti noti tra i quali Landolfi e Delfini." Nello stesso anno insieme con Pannunzio fonda la rivista "Oggi", destinata attraverso vari passaggi a divenire l'attuale testata omonima.

Nel 1935 escono *Le ambizioni sbagliate*, un libro al quale lavorava da ben sette anni: "in questo romanzo c'erano senz'altro cose sentite e autentiche ma in complesso vi mancava il carattere spontaneo e necessario che avevano avuto *Gli indifferenti*". E infatti il libro, oltre a non avere successo, venne ignorato dalla critica per ordine del Ministero della Cultura Popolare.

Moravia passa da "La Stampa" alla "Gazzetta del Popolo".

1935-1939

Per allontanarsi da un paese che incomincia a rendergli la vita difficile, Moravia parte per gli Stati Uniti. È invitato da Giuseppe Prezzolini alla Casa Italiana della Cultura della Columbia University di New York. Vi rimane otto mesi, tenendovi tre conferenze sul romanzo italiano, discutendo di Nievo, Manzoni, Verga, Fogazzaro e D'Annunzio. Parentesi di un mese in Messico. Breve ritorno in Italia dove scrive in poco tempo un libro di racconti lunghi intitolato *L'imbroglio*. Il libro fu proposto alla Mondadori che lo rifiutò. Moravia allora incontrò Bompiani e glielo propose. L'editore si consultò con Paola Masino che fu favorevole alla pubblicazione. Iniziò così una collaborazione praticamente ininterrotta con la casa editrice milanese.

Nel 1936 parte in nave per la Cina (vi rimarrà due mesi). Compra a Pechino *The Waste Land* di T.S. Eliot. Cerca di avere un visto per la Siberia e Mosca ma non l'ottiene.

Nel 1937 vengono assassinati in Francia Nello e Carlo Rosselli, cugini di Moravia.

Nel 1938 parte per la Grecia dove rimarrà sei mesi. Incontra saltuariamente Indro Montanelli.

1939-1944

Torna in Italia e vive ad Anacapri con Elsa Morante che ha incontrato a Roma nel 1936 e che sposa nel 1941. Il matrimonio venne celebrato da padre Tacchi-Venturi, testimoni Longanesi, Pannunzio, Capogrossi e Morra.

Nel 1940 pubblica una raccolta di scritti satirici e surrealisti intitolata *I sogni del pigro*.

Nel 1941 pubblica un romanzo satirico, *La mascherata*; "basato da una parte su un mio viaggio al Messico e dall'altra sulla mia esperienza del fascismo", il romanzo mette in scena "un dittatore coinvolto in una cospirazione provocatoria organizzata dal suo stesso capo della polizia". Il libro, che aveva ottenuto il nulla osta di Mussolini, fu sequestrato alla seconda edizione. Moravia cerca di far intervenire, a favore del libro, Galeazzo Ciano, allora Ministro degli Esteri. "Questi prese il libro dicendo che lo avrebbe letto durante un viaggio che stava per intraprendere. Andava a Berlino, da Hitler. Non se ne seppe più niente." In seguito alla censura de *La mascherata* non poté più scrivere sui giornali se non con uno pseudonimo. Scelse quello di Pseudo e sotto questo nome collaborò frequentemente alla rivista "Prospettive" diretta da Curzio Malaparte.

Nel 1942 scrive *Agostino* che verrà pubblicato nel 1943 a Roma presso la casa editrice Documento, da un suo amico, Federico Valli, in un'edizione di 500 copie con due illustrazioni di Renato Guttuso; l'edizione era limitata perché l'autorizzazione alla pubblicazione era stata negata. Poco dopo, "fu diramata una 'velina' con l'ingiunzione di non farmi scrivere più affatto". E contemporaneamente gli si impedisce di lavorare per il cinema, sua unica fonte di guadagno: infatti due sceneggiature, entrambe scritte per Castellani, *Un colpo di pistola* e *Zazà*, non portano la sua firma. Durante i 45 giorni, collabora al "Popolo di Roma" di Corrado Alvaro. "Poi il fascismo tornò con i tedeschi e io dovetti scappare perché fui informato (da Malaparte) che ero sulle liste della gente che doveva essere arrestata." Fugge con Elsa Morante verso Napoli ma non riesce a varcare il fronte e deve passare nove mesi in una capanna, presso Fondi, tra sfollati e contadini. "Fu questa la seconda esperienza importante della mia vita, dopo quella della malattia, e fu un'esperienza che dovetti fare per forza, mio malgrado."

l 24 maggio 1944, nell'imminenza della liberazione di Roma, la casa editrice Documento stampa *La Speranza, ovvero Cristianesimo e Comunismo*, un saggio che testimonia un primo approccio alle tematiche marxiste.

Con l'avanzata dell'esercito americano, Moravia torna a Roma dopo aver trascorso un breve periodo a Napoli.

1945

"Subito dopo la guerra, vivacchiavamo appena." Al mattino scrive romanzi, come al solito. Al pomeriggio scrive sceneggiature per guadagnare. Scrive due sceneggiature: *Il cielo sulla palude*, per un film di Augusto Genina su

Maria Goretti; e, più tardi, lavorerà alla sceneggiatura de *La romana* che sarà diretta da Luigi Zampa. Esce presso l'Acquario il volumetto illustrato da Maccari intitolato *Due cortigiane e Serata di don Giovanni*.

Nello stesso anno Valentino Bompiani, tornato a Milano, gli propone di ripubblicare *Agostino*, riprendendo così i legami interrotti dalla guerra. Il romanzo vince il Corriere Lombardo, primo premio letterario del dopoguerra. Ricomincia la collaborazione con diversi giornali fra cui "Il Mondo", "Il Corriere della Sera", "L'Europeo".

1946

Iniziano le traduzioni dei suoi romanzi all'estero. Ben presto sarà praticamente tradotto in tutti i paesi del mondo. Nello stesso anno inizia la fortuna cinematografica di Moravia: da romanzi e racconti vengono tratti film. Alcuni esempi: *La provinciale* con la regia di Mario Soldati, *La romana* di Luigi Zampa, *La ciociara* di Vittorio de Sica, *Gli indifferenti* di Francesco Maselli, *Il disprezzo* di Jean-Luc Godard, *Il conformista* di Giuseppe Bertolucci e via via fino alla *Vita interiore* di Gianni Barcelloni.

1947

Moravia pubblica *La romana*. Il romanzo riscuote, vent'anni dopo, lo stesso successo de *Gli indifferenti*. Inizia una ininterrotta fortuna letteraria.

1948-1951

Nel 1948 esce *La disubbidienza*; nel 1949 *L'amore coniugale e altri racconti*; nel 1951 *Il conformista*.

1952

Tutte le opere di Moravia sono messe all'indice dal Sant'Uffizio in aprile (nello stesso anno vengono messe all'indice le opere di André Gide). In luglio Moravia riceve il Premio Strega per *I racconti* appena pubblicati.

1953

S'intensificano le collaborazioni per il "Corriere della Sera" sotto forma di racconti e di reportage.

Nello stesso anno Moravia fonda a Roma con Alberto Carocci la rivista "Nuovi Argomenti". Vi scriveranno Jean-Paul Sartre, Elio Vittorini, Italo Calvino, Eugenio Montale, Franco Fortini, Palmiro Togliatti. Nel 1966 inizierà una nuova serie diretta da Moravia, Carocci e Pasolini (che aveva già pubblicato le *Ceneri di Gramsci* nella rivista), a cui si aggiungeranno Attilio Bertolucci e Enzo Siciliano. Ci sarà nel 1982 una terza serie, a Milano, i cui direttori sono Moravia, Siciliano e Sciascia.

1954-1956

I *Racconti romani* vincono il Premio Marzotto. Esce *Il disprezzo.* Su "Nuovi Argomenti" appare il saggio *L'uomo come fine* che Moravia aveva scritto fin dal 1946.

Moravia scrive una serie di prefazioni: nel 1955, al volume del Belli, *Cento sonetti*; nel 1956, a *Paolo il caldo* di Vitaliano Brancati e a *Passeggiate romane* di Stendhal.

1957

Moravia inizia a collaborare all'"Espresso" fondato da Arrigo Benedetti nel 1955: vi curerà una rubrica cinematografica. Nel 1975 raccoglierà in volume alcune di queste sue recensioni: *Al cinema*. Esce *La ciociara*.

1958

Scrive per il teatro: *La mascherata* e *Beatrice Cenci.* La prima fu rappresentata al Piccolo di Milano, con la regia di Strehler. La seconda, con la regia di Enriquez, in America Latina.

Esce *Un mese in URSS*, frutto di un primo viaggio nell'Unione Sovietica.

1959

Escono i *Nuovi racconti romani*, "ispirati, in fondo, dai sonetti del Belli".

1960

L'uscita de *La noia* segna un successo simile a quello de *Gli indifferenti* e de *La romana.*

1961

Vince il Premio Viareggio con *La noia*. Va in India con Elsa Morante e Pier Paolo Pasolini.

1962

Esce *Un'idea dell'India*. In aprile Moravia si separa da Elsa Morante; lascia l'appartamento romano di via dell'Oca e va a vivere in Lungotevere della Vittoria con Dacia Maraini.

Pubblica un'intervista a Claudia Cardinale che gli era stata chiesta dalla rivista americana "Fortune". "Applicai la tecnica della fenomenologia chiedendo a Claudia di descriversi come se fosse un oggetto... So che l'intervista fu imitata."

Esce un libro di Oreste del Buono su Moravia per la Feltrinelli.

Moravia pubblica una raccolta di racconti: *L'automa*.

1963

Raccoglie in un volume intitolato *L'uomo come fine e altri saggi* alcuni scritti a partire dal 1941.

Compie il viaggio in Africa che dà il via ai suoi reportage dal Continente nero.

1965

Moravia pubblica *L'attenzione*, tentativo di romanzo nel romanzo.

1966

Viene rappresentato *Il mondo è quello che è* in occasione del festival del Teatro contemporaneo, con la regia di Gianfranco De Bosio.

Nello stesso anno Moravia si occupa sempre più di teatro. Con Enzo Siciliano e Dacia Maraini fonda la compagnia teatrale "del Porcospino" che ha come sede il teatro di via Belsiana a Roma. Le prime rappresentazioni saranno *L'intervista* di Alberto Moravia, *La famiglia normale* di Dacia Maraini e *Tazza* di Enzo Siciliano. Seguiranno opere di C.E. Gadda, Wilcock, Strindberg, Parise e Kyd. L'esperimento, all'inizio mal visto dalla critica, viene interrotto nel 1968 per mancanza di fondi.

1967

Moravia pubblica su "Nuovi Argomenti" *La chiacchiera a teatro* in cui spiega le sue idee sul teatro moderno. Nello stesso anno si reca in Giappone, Corea e Cina insieme con Dacia Maraini. Quell'estate è presidente della XXVIII mostra del cinema a Venezia: vince *Belle de jour* diretto da Luis Buñel.

Esce *Una cosa è una cosa.*

1968

"I giovani del Sessantotto, e quelli che sono venuti dopo, pensano che il mondo vada cambiato, cambiato con la violenza, ma non vogliono sapere perché, e come cambiarlo. Non vogliono conoscerlo, e dunque non vogliono conoscere se stessi." Moravia è contestato in varie occasioni, all'Università di Roma, a Bari, alla sede dell'"Espresso" e al teatro Niccolini di Firenze dagli studenti del '68. Esce *La rivoluzione culturale in Cina.*

1969

Moravia pubblica *La vita è gioco*, rappresentato al teatro Valle di Roma nell'autunno del 1970, con la regia di Dacia Maraini.

Moravia commenta l'attentato della Banca Nazionale dell'Agricoltura di Milano con un intervento su *L'informazione deformata.*

1970

Esce *Il paradiso*, prima raccolta di racconti su donne che parlano in prima persona. Seguiranno *Un'altra vita* e *Boh.*

1971

Esce *Io e lui.*

Enzo Siciliano pubblica presso Longanesi un libro-intervista a Moravia.

1972

Dopo numerosi viaggi in Africa, Moravia scrive tre libri: il primo è *A quale tribù appartieni?*, al quale seguiranno *Lettere dal Sahara* e *Passeggiate africane.*

Enzo Siciliano suggerisce che Moravia "è affascinato dall'Africa da un duplice aspetto: la sua arcaicità, il suo primitivismo, e per il modo in cui essa fa sperimentare la degradazione della modernità, quella civile modernità nella quale siamo immersi".

1973-1975

Escono *Un'altra vita* e una ristampa di racconti con il titolo *Cortigiana stanca*.

Il 2 novembre 1975 muore Pier Paolo Pasolini. Moravia pubblica sul "Corriere della Sera" un articolo nel quale Pasolini è confrontato ad Arthur Rimbaud.

1976-1980

Pubblica una raccolta di racconti, *Boh* (1976); una raccolta di testi teatrali; un romanzo, *La vita interiore* (1978), a cui ha lavorato per ben sette anni, la sua maggiore fatica narrativa dopo *Le ambizioni sbagliate*; e, nel 1980, una raccolta di saggi, *Impegno controvoglia*, scritti tra il 1943 e il 1978.

Dal 1979 al 1982 è membro della Commissione di Selezione alla mostra del cinema di Venezia. La commissione era stata creata da Carlo Lizzani.

Dal 1975 al 1981 Moravia è "inviato speciale" del "Corriere della Sera" in Africa. Nel 1981 raccoglie in volume i suoi articoli: *Lettere dal Sahara*. "Finora non mi era mai accaduto di fare un viaggio fuori del tempo, cioè fuori della storia, in una dimensione come dire? astorica, religiosa. Il viaggio nel Sahara ha colmato, come si dice, questa lacuna."

1982

Escono il romanzo *1934* e la raccolta di fiabe, tutte su animali parlanti, *Storie della Preistoria*.

Fa un viaggio in Giappone e si ferma a Hiroshima. "In quel preciso momento, il monumento eretto in memoria del giorno più infausto di tutta la storia dell'umanità, ha 'agito' dentro di me. Ad un tratto, ho capito che il monumento esigeva da me che mi riconoscessi non più cittadino di una determinata nazione, appartenente ad una determinata cultura bensì, in qualche modo zoologicamente ma anche religiosamente, membro, come ho detto, della specie."

Moravia farà tre inchieste sull'"Espresso" sul problema della bomba atomica. La prima in Giappone, la seconda in Germania, la terza in URSS.

1983

Vince il Premio Mondello per *1934*. Esce *La cosa*, dedicato a Carmen Llera.

Il 26 giugno rifiuta la candidatura al Senato italiano: "Ho sempre pensato che non bisogna mischiare la letteratura con la politica; lo scrittore mira all'assoluto, il politico al relativo; soltanto i dittatori mirano insieme al relativo e all'assoluto".

1984

L'8 maggio accetta la candidatura per le elezioni europee come indipendente nelle liste del PCI. "Non c'è contraddizione", scrive in un'autointervista, "tra il rifiuto d'allora e la tua accettazione d'adesso? Ho detto che l'artista cerca l'assoluto. Ora il motivo per il quale pongo la mia candidatura al Parlamento europeo non ha niente a che fare, almeno direttamente, con la politica e, appunto, comporta la ricerca dell'assoluto. È stato un particolare aspetto, purtroppo, di questa ricerca a determinare la mia candidatura."

Diventa deputato al Parlamento europeo con 260.000 voti.

Inizia sul "Corriere della Sera", con una corrispondenza da Strasburgo, il *Diario europeo*.

1985

Esce *L'uomo che guarda*.

Vengono rappresentate, tra le ultime commedie di Moravia, *L'angelo dell'informazione* e *La cintura*.

1986

Esce in volume *L'angelo dell'informazione e altri scritti teatrali*.

Il 27 gennaio si sposa con Carmen Llera.

Escono *L'inverno nucleare*, a cura di Renzo Paris, e il primo volume delle *Opere (1927-1947)*, a cura di Geno Pampaloni.

1987-1990

Escono in questi anni: *Passeggiate africane* (1987), *Il viaggio a Roma* (1988), *La villa del venerdì* (1990) e *Vita di Moravia* (1990), scritto assieme a Alain Elkann.

Nel 1989 esce il secondo volume delle *Opere (1948-1968)*, a cura di Enzo Siciliano.

1990

Il giorno 26 settembre muore nella sua casa romana, alle 9 del mattino.

Escono postumi: *La donna leopardo* (1991), *Diario Europeo* e *Romildo* (1993), *Viaggi. Articoli 1930-1990* (1994) e *Romanzi e racconti 1929-1937* (1998).

(*a cura di Eileen Romano*)

L'AMORE CONIUGALE

I

Prima di tutto voglio parlare di mia moglie. Amare, oltre a molte altre cose, vuol dire trarre diletto dal guardare e osservare la persona amata. E non soltanto trarre questo diletto dalla contemplazione delle sue bellezze ma anche da quella delle sue bruttezze, poche o molte che siano. Fin dai primi giorni di matrimonio, io trovai un inestimabile piacere nel guardare Leda (così ella si chiama) e nello studiarne il viso e la persona fin nei minimi gesti e nelle più fuggevoli espressioni. Mia moglie al tempo che ci sposammo (dopo, mettendo al mondo tre figli, alcuni caratteri si sono non dico cambiati ma in parte modificati) aveva poco più di trenta anni. Era, se non proprio grande, di statura alta, con un viso e un corpo entrambi molto belli seppure lungi dall'essere perfetti. Il viso lungo e magro aveva quell'aspetto sfuggente, smarrito, quasi cancellato che hanno talvolta le deità classiche in certi mediocri quadri antichi dipinti incertamente e resi ancor più incerti dalla patina del tempo. Questo aspetto singolare, come di una bellezza inafferrabile che, quale un riflesso di sole su un muro, o l'ombra di una nuvola viaggiante sul mare, possa ad ogni momento svanire, le veniva senza dubbio così dai capelli, di un biondo metallico, sempre un po' disfatti in lunghe ciocche che parevano suggerire lo svolazzamento della paura e della fuga, come dagli occhi azzurri, enormi, un po' obliqui, dalla pupilla dilatata e umida in cui lo sguardo mortificato ed evasivo faceva pensare, come i capelli, ad uno stato d'animo impaurito e schivo. Ella aveva un naso grande, dritto e nobile, e una larga bocca rossa di un disegno oltremodo sinuoso, di una sensualità imbronciata e pesante, con il labbro inferiore profondamente ripiegato sul mento troppo piccolo. Era un viso irregolare e tuttavia molto bello, di una bellezza, come ho detto, inafferrabile che in certi momenti e in certe circostanze, come dirò più avanti, pareva dissolversi e sparire. Lo stesso poteva dirsi del corpo. Dalla cintola in su, ella era magra e delicata come una fanciulla; invece i fianchi, il ventre, le gambe erano solide, forti, adulte, di una vigoria muscolosa e procace. Ma questa disarmonia, come quella del viso, era annullata dalla bellezza che quale un'aria familiare e impalpabile o una luce misteriosamente trasfiguratrice, l'avvolgeva dalla testa ai piedi in un alone di perfezione. Strano a dirsi, ma talvolta, guardandola, mi veniva fatto di pensare a lei come ad una persona di lineamenti e di forme classiche, senza difetti, tutta armonia, serenità, simmetria. A tal punto quella bellezza che in mancanza di altre parole bisogna chiamar per forza spirituale, mi traeva in inganno e mi seduceva. Ma c'erano dei momenti in cui quel velo dorato si lacerava e non soltanto mi si rivelavano le numerose irregolarità ma anche assistevo ad una trasformazione penosa di tutta la sua persona.

Feci questa scoperta nei primi giorni di matrimonio e per un momento ebbi quasi il senso di essere stato ingannato, come chi, essendosi sposato per tornaconto, scopra dopo le nozze che la moglie è povera. Dunque, sovente, una smorfia grossa e muta in cui parevano esprimersi paura, angoscia, ritrosia e al tempo stesso una schifata attrazione, contraeva tutto il viso di mia moglie. In questa smorfia la naturale irregolarità dei lineamenti saltava fuori, per così dire, in una maniera violenta dando a tutto il viso l'aspetto ripugnante di una maschera grottesca in cui a bella posta, per fini di una comicità particolare tra oscena e penosa, fossero stati appunto esagerati fino alla caricatura certi tratti: la bocca soprattutto, e poi le due rughe ai lati della bocca, e le narici e gli occhi. Mia moglie si dipingeva le labbra con un rossetto abbondante e scarlatto; inoltre essendo pallida, si imbellettava anche le guance. Questi colori artificiali, quando il viso era calmo, non si notavano accordandosi con quelli degli occhi, dei capelli e della carnagione. Ma durante la smorfia, spiccavano, crudi e accesi, e tutto il viso, un istante prima così sereno, luminoso e classicamente bello, evocava le fattezze ridicole e infiammate delle maschere carnevalesche. Con in più quel non so che di osceno che può venire a siffatte convulsioni dalla morbidezza, dal calore e dalla vivacità della carne.

Parimenti anche il corpo, come il viso, aveva la sua maniera di fugare l'aria incantata della bellezza e di contorcersi laidamente. Ella si rannicchiava tutta, proprio come chi ha paura o schifo; ma nel tempo stesso, come fanno certe ballerine e mime allo scopo di eccitare il pubblico, tra le braccia e le gambe ambedue protese in avanti in atteggiamento di difesa e di ripugnanza, il corpo si inarcava in atto di invito e di provocazione. Ella pareva, sì, allontanare con le braccia un pericolo immaginario, ma insieme, con quella veemente distorsione dei fianchi, sembrava indicare che quel periodo o assalto non le era ingrato. L'atteggiamento era sguaiato e accompagnandosi talvolta alla smorfia del viso faceva quasi dubitare di trovarsi di fronte alla stessa persona ancora un momento prima così composta, così serena, così ineffabilmente bella.

Ho detto che amare vuol dire amare tutto nella persona amata, così le bellezze come, se ci sono, le bruttezze. Queste smorfie, queste distorsioni, sebbene assai laide, mi furono presto altrettanto care che la bellezza, l'armonia e la serenità dei momenti migliori. Ma amare, talvolta, vuol dire non capire; perché se è vero che c'è una forma di amore che implica comprensione, è pur vero che ce n'è un'altra, più passionale, che rende ciechi sulla persona amata. Io cieco non ero; ma mi difettava la lucidità di mente di un amore provato e antico. Sapevo che mia moglie in certe circostanze diventava brutta e sguaiata; mi pareva un fatto curioso e, come tutto ciò che la riguardava, amabile, e oltre questa constatazione non sapevo né volevo andare.

Debbo dire, a questo punto, che smorfia e distorsione si verificavano molto di rado e mai nell'intimità dei nostri rapporti. Non ricordo che mai alcuna mia parola e alcun mio gesto provocasse in lei quella strana trasformazione del volto in maschera e del corpo in marionetta. Anzi, nei momenti d'amore, ella pareva raggiungere il colmo di quella sua incredibile e ineffabile bellezza. Allora c'era nella pupilla dilatata e umida dei grandi occhi un appello mortificato, mansueto, dolce, più espressivo di qualsiasi discorso; la bocca pareva esprimere, attraverso la sensualità e sinuosità delle labbra, una sua bontà capricciosa e intelligente; e tutto il viso accoglieva i miei sguardi come uno specchio rassicurante e misterioso a cui facevano degna cornice i biondi capelli sparsi. Anche il corpo pareva adagiarsi nella sua forma migliore, giacendo innocente e languido, senza forza e senza vergogna, come una terra promessa che si offra al primo sguardo tutt'aperta e dorata, con i suoi campi, i suoi fiumi, le sue colline e le sue valli fino all'ultimo orizzonte. Smorfia e distorsione si producevano invece nelle occasioni più impreviste e più insignificanti; mi basti ricordarne alcune. Mia moglie è sempre stata una grande lettrice di libri polizieschi. Là dove è da credere che l'intreccio si facesse più appassionante e più pauroso, notai che gradualmente il viso le si decomponeva nella smorfia; che poi non svaniva se non con la fine del passaggio che l'aveva provocato. Altresì a mia moglie piaceva giocare. Fui con lei a Campione, a Montecarlo, a San Remo: non c'era una volta che, dopo la puntata, mentre la ruota girava e la pallina saltellava per i numeri, mia moglie non atteggiasse il viso a quella laida smorfia. Finalmente anche un filo da infilare nella cruna di un ago bastava a farle fare la smorfia; oppure un bambino che correndo lungo un fossato rischiasse di caderci; oppure ancora una goccia d'acqua gelata nella schiena.

Però voglio raccontare più per esteso due casi in cui mi sembrò che questa sua singolare trasformazione avesse origini più complicate. Un giorno ci trovammo nel giardino della nostra villa in campagna e io mi sforzavo di strappare un'erbaccia alta e rigogliosa, quasi un arbusto, che, chissà come, era cresciuta nel mezzo del piazzale davanti alla villa. Non era facile perché la pianta verde e umida mi scivolava tra le mani e doveva inoltre avere radici molto profonde. Intento a questa operazione, non so perché, levai gli occhi verso mia moglie e rimasi stupefatto vedendola tutta trasformata nel viso e nella persona dalla solita sguaiata smorfia e contorsione. Nello stesso tempo, cedendo al peso del mio corpo, la pianta saltò fuori dal terreno con una sola radice lunga e nerboruta e io caddi all'indietro sulla ghiaia del piazzale.

Un'altra volta avevamo invitato alcuni amici a cena nella nostra casa di Roma. Prima che gli invitati arrivassero, mia moglie in vestito da sera, acconciata e con i suoi gioielli addosso, volle fare una visita nella cucina per vedere se tutto fosse in ordine. Io la seguivo. Trovammo la cuoca spaventata dall'aragosta, un bestione enorme armato di pinze formidabili e ancora semivivo, che ella non osava afferrare e gettare nella pentola. Con molta semplicità mia moglie si avvicinò al tavolo, afferrò l'aragosta per il dorso e la tuffò nell'acqua bollente. Per far questo ammetto che dovesse tenersi lontana così dal fornello come dalla bestia. Ma questa prudenza non spiega che in parte la smorfia del viso, brutta e grottesca e il visibile movimento del corpo che per un momento parve voler accennare ad un dimenamento provocante dei fianchi sotto la seta lucida dell'abito da sera.

Immagino che mia moglie abbia fatto quella smorfia e si sia contorta in quel modo infinite volte e nelle occasioni più disparate. Comunque restano alcuni fatti indubitabili: ella non contrasse mai il viso e la persona durante l'amore. Inoltre queste contrazioni si accompagnavano sempre con il silenzio più profondo: un silenzio sospeso e che pareva tuttavia più simile ad un grido represso che ad un calmo mutismo. Infine smorfia e contrazione sembravano sempre nascere dal timore di un avvenimento imprevisto, repentino, fulmineo. Un timore, come ho notato, tutto mischiato di attrazione.

II

Ho parlato sinora di mia moglie, è tempo che dica qualcosa di me. Sono alto e magro, con un viso energico dai tratti marcati e asciutti. Forse, a guardar meglio, si potrebbe scoprire qualche debolezza nella forma del mento e nel disegno della bocca; ma tant'è, ho un viso volontario e forte che non rassomiglia affatto al mio vero carattere, sebbene spieghi in parte alcune contraddizioni di esso. Forse il mio tratto più notevole è la mancanza di fondo. Qualsiasi cosa faccia o dica sono tutto quanto in quello che dico e faccio e non ho nulla in riserva su cui ricadere nel caso debba ritirarmi. Sono insomma un uomo tutto avanguardia, senza grosso dell'esercito né retroguardia. Da questo carattere viene la mia facilità all'entusiasmo: per ogni nonnulla mi esalto. Ma questo entusiasmo è un po' come un cavallo che salti una siepe molto alta senza il cavaliere, il quale è rimasto a terra dieci metri addietro e morde la polvere. Voglio dire che è un entusiasmo a cui fa quasi sempre difetto il sostegno di quella forza effettiva e intima senza la quale qualsiasi entusiasmo si dissolve in velleità e in retorica. E infatti sono inclinato alla retorica, a scambiare cioè le parole per fatti. La mia retorica è del genere sentimentale; poiché vorrei amare e spesso mi illudo di farlo quando invece non ho che parlato, sia pure con molta commozione, ma parlato. In questi momenti ho la lagrima facile, balbetto e mi lascio andare a tutti gli atteggiamenti di un sentimento traboccante. Ma sotto queste apparenze fervide, spesso nascondo una sottigliezza acre e persino meschina che mi rende duplice e non rappresenta alcuna forza essendo semplicemente l'espressione del mio egoismo.

Per tutti coloro che mi conoscevano superficialmente, io ero, prima che incontrassi Leda, quello che si chiama tuttora e forse per poco tempo ancora, un esteta. Ossia un uomo abbastanza agiato per vivere ozioso, dedicando questo suo ozio alla comprensione e al godimento dell'arte nelle sue diverse forme. Suppongo che tale giudizio, almeno per quanto riguarda la parte che recitavo in società, fosse giusto in complesso. Ma solo con me stesso, ero in realtà tutt'altro che un esteta: ero un uomo tormentato dall'angoscia, sempre sull'orlo della disperazione. C'è nell'opera di Poe una novella che torna acconcia per descrivere la condizione del mio animo in quel tempo: è quella in cui è descritta l'avventura di un pescatore attirato con il proprio battello nelle spire di un vortice marino. Egli gira con la barca tutt'intorno le pareti del baratro e insieme con lui, sopra, accanto e sotto, girano innumerevoli relitti di precedenti naufragi. Egli sa che girando si avvicina sempre più al fondo del vortice dove l'aspetta la morte, e sa quale sia l'origine di quei relitti. Ebbene la mia vita poteva paragonarsi ad un costante vortice. Io ero preso nelle spire di un nero imbuto e sopra, sotto e accanto a me vedevo girare con me tutte le cose che amavo. Quelle cose di cui, secondo gli altri, vivevo e che invece vedevo travolte con me nello stesso strano naufragio. Io sentivo di girare in cerchio con quanto di bello e di buono è stato creato al mondo e non cessavo un sol momento di vedere il fondo nero dell'imbuto che prometteva a me e a tutti gli altri relitti una fine inevitabile. C'erano momenti in cui il vortice sembrava restringersi, appianarsi, girare più lentamente e restituirmi alla superficie calma della vita quotidiana; c'erano altri momenti invece, in cui i giri si facevano più rapidi e più profondi e io allora scendevo girando sempre più in basso e con me scendevano tutte le opere e le ragioni umane, e io quasi desideravo di essere inghiottito definitivamente. In gioventù queste crisi erano frequenti e posso dire che non ci sia stato giorno, tra i venti e i trent'anni, in cui io non abbia accarezzato l'idea del suicidio. Naturalmente io non volevo nella realtà uccidermi (altrimenti mi sarei ucciso davvero), ma questa ossessione del suicidio era purtuttavia il colore dominante del mio paesaggio interiore.

Ai rimedi pensai più volte; e ben presto mi resi conto che soltanto due cose avrebbero potuto salvarmi: l'amore di una donna e la creazione artistica. Sembrerà un po' ridicolo che io nomini due cose così importanti in maniera tanto sbrigativa, come se si trattasse di due comuni medicine da acquistarsi in qualsiasi farmacia; ma questa sommaria definizione non rivela se non la grande chiarezza a cui, verso i trentacinque anni, ero giunto circa i problemi della mia vita. All'amore mi pareva di aver diritto come tutti gli altri uomini di questa terra; e alla creazione artistica ero convinto di essere portato per natura dai miei gusti e anche da un talento che nei momenti migliori mi illudevo di possedere.

Ora avvenne invece che io non oltrepassassi mai le due o tre prime pagine di qualsiasi composizione; e con le donne non raggiungessi mai quel sentimento profondo che convince noi stessi e gli altri. Ciò che mi nuoceva di più negli approcci sentimentali e creativi era proprio quella facilità all'entusiasmo, altrettanto pronto ad accendersi quanto rapido a cadere. Quante volte a un bacio strappato da labbra ritrose, a due o tre pagine scritte di furia, mi parve di aver trovato quel che cercavo. Ma poi, con la donna, scivolavo subito in un sentimentalismo verboso che finiva per allontanarla da me; e sulla pagina mi perdevo in sofismi, oppure in una abbondanza di parole cui mi induceva, in mancanza di seria ispirazione, una momentanea facilità. Avevo il primo impeto buono che ingannava me e gli altri, a cui poi subentrava non so che fiacchezza fredda e generica. E io mi accorgevo che in realtà non avevo tanto amato e scritto quanto voluto amare e scrivere. Talvolta trovavo anche la donna che per tornaconto o per compassione sarebbe stata disposta a lasciarsi ingannare e a ingannarmi; tal'altra la pagina sembrava resistere e invitarmi a proseguire. Ma ho questo di buono, almeno: una coscienza diffidente che mi ferma a tempo sulla strada dell'illusione. Strappavo le pagine e, con un pretesto, cessavo di frequentare la donna. Così, in questi tentativi, passò la giovinezza.

III

Non importa dire dove e come conobbi mia moglie: sarà stato in un salotto o in una stazione balneare o altro luogo simile. Ella aveva circa la mia età e per molti aspetti mi parve che la mia vita rassomigliasse alla sua. In realtà questi aspetti erano pochi e superficiali, limitandosi all'esser anche lei, come me, ricca e oziosa e a vivere negli stessi ambienti e nello stesso modo; ma a me, per il solito entusiasmo effimero, parvero gran cosa, quasi avessi trovato l'anima gemella. Ella era stata sposata molto giovane, a Milano, sua città natale, ad un uomo che non amava. Il matrimonio era durato un paio d'anni e poi i due si erano separati e più tardi avevano divorziato in Svizzera. Da allora mia moglie era sempre vissuta sola. Ciò che suscitò subito nel mio animo la speranza di aver alfine trovato la donna che cercavo, fu la confessione che ella mi fece il giorno stesso che l'incontrai per la prima volta, della sua stanchezza della vita menata sinora e del suo desiderio di sistemarsi con un legame secondo il suo cuore. In questa confessione, fatta con molta semplicità, senza alcuna commozione, come se si fosse trattato di un programma pratico e non dell'aspirazione patetica di una vita deserta di affetti, mi sembrò di ravvisare lo stesso stato d'animo che mi tiravo dietro da tanti anni; e subito, con il solito impeto iniziale, decisi che ella sarebbe stata mia moglie.

Non credo che Leda sia molto intelligente; ma con una intelligenza mediocre ella riusciva tuttavia, grazie alla misura dei suoi interventi, alla sua aria di esperienza e ad una mescolanza accorta di indulgenza e di ironia, ad acquistare ai miei occhi un'autorità misteriosa; per cui ogni suo minimo gesto di comprensione e di incoraggiamento era per me prezioso e lusinghiero. Io mi illusi allora di convincerla a sposarmi; ma oggi posso dire che fu lei a volerlo e che senza questa sua volontà il matrimonio non si sarebbe mai fatto. Io ero ancora ai preliminari della mia corte, che immaginavo lunga e difficile, quando lei, quasi forzandomi la mano, si diede a me. Ma questa dedizione che in altre donne mi sarebbe sembrata un tratto di facilità e me l'avrebbe forse resa spregevole, in lei ebbe lo stesso carattere raro e lusinghiero dei precedenti cenni di approvazione e di incoraggiamento. Dopo averla posseduta, mi accorsi che quella sua misteriosa autorità restava intatta anzi si era rafforzata attraverso l'impazienza dei miei sensi sin allora sopiti. Come prima ella aveva giocato sul mio bisogno di essere compreso, così adesso, con tanto maggiore e più istintiva intelligenza, giocò sul mio desiderio. Scoprii così che al carattere fuggevole ed evasivo della sua bellezza corrispondeva analogo carattere dell'animo. Io non ero mai sicuro di possederla del tutto; e proprio quando mi pareva di rasentare la sazietà, un suo gesto, una sua parola mi facevano ad un tratto temere di nuovo di perderla. Queste alternative del possesso e della disperazione durarono, si può dire, fino al giorno del nostro matrimonio. Ormai l'amavo con furore e capivo che dovevo impedire ad ogni costo che quest'amore finisse, come gli altri che l'avevano preceduto, nello scoramento e nel nulla. Spinto da questa paura e tuttavia riluttante e quasi sembrandomi di fare cosa troppo facile, le domandai alfine di diventare mia moglie, con la certezza di essere tosto accettato. Mi vidi invece opporre un rifiuto quasi stupito, come se facendo quella proposta avessi contraddetto a non so quale misteriosa legge della buona creanza. Con questo rifiuto mi parve di aver raggiunto il fondo più cupo della mia antica disperazione. La lasciai pensando confusamente che non c'era per me più niente da fare e che se non ero vile questa era la volta di uccidermi veramente. Passarono alcuni giorni e poi lei mi telefonò, sorpresa, domandandomi perché non mi fossi più fatto vedere. Andai a trovarla, e lei mi accolse con un rimprovero dolce e impudente di averla lasciata e di non averle dato il tempo di riflettere. Concluse dicendo che, dopo tutto, poteva accettare di diventare mia moglie. Dopo due settimane ci sposammo.

Cominciò subito un tempo di felicità piena e mai conosciuta. Io amavo Leda con passione e al tempo stesso continuavo a temere di non amarla più o di non esserne più amato. Così cercavo con ogni mezzo di confondere le nostre due vite, di creare tra noi dei legami. Siccome la sapevo ignorante, le proposi prima di tutto una specie di programma di educazione estetica, dicendole che ella avrebbe trovato altrettanto piacere nell'imparare che io nell'insegnare. La scoprii, in maniera imprevista, oltremodo docile e ragionevole. Di comune accordo stabilimmo un piano di studio e un orario e io intrapresi di comunicarle e di farle apprezzare tutto quello che sapevo e mi piaceva. Non so quanto ella mi seguisse e comprendesse: probabilmente meno assai di quanto io credessi. Ma, come il solito, per quella sua singolare e misteriosa autorità, mi pareva di riportare una grande vittoria quando diceva semplicemente: "Questa musica mi piace... questa poesia è bella.. rileggimi quel passaggio... risentiamo quel disco." Al tempo stesso, per occupare il tempo, le insegnavo l'inglese. Qui ella faceva dei progressi consistenti, perché aveva una buona memoria e una nativa inclinazione. Ma letture, spiegazioni e lezioni erano tutte rese attraenti e preziose ai miei occhi da quella sua inalterabile benevolenza, amorevolezza, buona volontà. Così che, in certo senso, sebbene ella fosse la scolara e io il maestro, ero io che provavo tutte le trepidazioni dell'allievo che progredisce nelle materie che studia. Ed era giusto poiché la vera materia tra di noi era l'amore e a me pareva ogni giorno di impadronirmene sempre più.

Ma pur tuttavia il fondamento più sicuro della nostra felicità restavano i rapporti amorosi, fuori dei nostri gusti ormai comuni. Ho detto che la sua bellezza turbata qualche volta da smorfie e contorsioni laide, durante l'amore non si smentiva mai. Aggiungerò che il godimento di questa bellezza era ormai il perno intorno il quale girava il vortice un tempo nero e minaccioso e ora luminoso e piacevolmente lento e regolare della mia vita. Quante volte, giacendo accanto a lei, in letto, contemplavo il suo corpo nudo e quasi mi spaventavo di vederlo così bello e, al tempo stesso, così sfuggente, pur nella mia accanita contemplazione, ad ogni definizione. Quante volte scomposi e ricomposi mentre lei giaceva supina, con la testa affondata nel guanciale, quelle sue lunghe e molli ciocche bionde, cercando invano di afferrare il senso misterioso del movimento che le rendeva fuggiasche e svolazzanti. Quante volte guardai quei suoi occhi enormi azzurri e mi domandai in che cosa consistesse il segreto della loro espressione dolce e mortificata. Quante volte dopo averla baciata a lungo e con furore, studiai e confrontai la sensazione che perdurava sulle mie labbra con la forma delle sue, sperando di penetrare il significato del leggero sorriso di disegno quasi arcaico che, dopo il bacio, riaffiorava agli angoli della sua grossa e sinuosa bocca, come, appunto, si nota nelle più antiche statue greche. Io avevo trovato, insomma, un mistero altrettanto grande, o almeno così mi pareva, che quelli della religione: un mistero secondo il mio cuore, in cui il mio sguardo e la mia mente avvezzi a scandagliare la bellezza, finalmente si perdevano e si pacificavano come in uno spazio amabile e infinito. Ella sembrava comprendere tutta l'importanza che assumeva per me questa specie di adorazione e si lasciava amare con la stessa docilità mai stanca, la stessa intelligente compiacenza con le quali si lasciava ammaestrare.

Forse avrei dovuto essere messo in sospetto, nel mezzo di così piena felicità, da un aspetto particolare dell'atteggiamento di mia moglie che, del resto, mi sembra di aver già accennato: la sua buona volontà. Chiaramente l'amore in lei non era così spontaneo come in me; ed entrava nel suo contegno verso di me una indubbia seppure misteriosa volontà di accontentarmi, di compiacermi, talvolta persino di lusingarmi: ciò appunto che di solito si chiama, non senza una punta di disprezzo, buona volontà. Ora è difficile che la buona volontà non nasconda qualche cosa che, se per avventura si rivelasse, la smentirebbe e ne metterebbe in pericolo gli effetti; qualche cosa che va dalla semplice presenza di preoccupazioni diverse e nascoste fino alla doppiezza e al tradimento. Ma io accettavo questa buona volontà come una prova del suo amore verso di me e non mi curavo, per allora, di indagare che cosa nascondesse, e quale ne fosse il significato. Ero insomma troppo felice per non essere egoista. Sapevo che per la prima volta in vita mia amavo e con il consueto entusiasmo un po' indiscreto attribuivo anche a lei il sentimento che mi occupava l'animo.

IV

Non avevo mai parlato a mia moglie delle mie ambizioni letterarie perché ritenevo che ella non potesse comprenderle e anche perché mi vergognavo di avere a confessare che non erano se non ambizioni, ossia tentativi sin allora mai coronati dal successo. Quell'anno passammo l'estate al mare e verso la metà di settembre incominciammo a discutere i nostri piani per l'autunno e l'inverno. Non so come, allora, mi venne fatto di alludere ai miei sterili travagli, forse in riferimento al lungo ozio al quale mi aveva condotto il matrimonio. "Ma tu, Silvio, non me ne avevi mai parlato," ella esclamò subito. Risposi che non ne avevo mai parlato perché, almeno fino a quel giorno, non mi era riuscito di scrivere qualche cosa di cui mettesse conto di parlare. Ma lei, con quella solita volonterosa affettuosità, per tutta risposta mi incitò a mostrarle qualche mio scritto. Mi accorsi subito, a quest'invito, che la sua curiosità mi lusingava oltremodo e che, in fondo, il suo giudizio mi premeva quanto e più di quello di un letterato di professione. Sapevo benissimo che ella era ignorante, che il suo gusto era incerto, e la sua approvazione o la sua condanna non potevano avere alcun valore; e tuttavia sentivo che da lei dipendeva ormai che io continuassi o non continuassi a scrivere. Resistetti un poco, per la forma, alle sue insistenze, quindi, dopo averla avvertita più volte che erano cose senza importanza che io stesso avevo ripudiato, accettai di leggerle un breve racconto che avevo scritto un paio di anni addietro. Mentre leggevo mi parve che il mio racconto non fosse così cattivo come mi era sembrato in passato; continuai così a leggere con voce più ferma e più espressiva, ogni tanto sogguardando lei che mi ascoltava attentamente e non dava a vedere in alcun modo che effetto le facesse. Come ebbi finito, gettai da parte i fogli, esclamando: "Come vedi, avevo ragione, non valeva la pena di parlarne." E aspettai con strana ansietà il suo giudizio. Ella tacque un momento, come per raccogliere le sue impressioni, poi dichiarò con risolutezza perentoria che facevo malissimo a non attribuire alcuna importanza al mio talento. Disse che la novella le era piaciuta sebbene avesse molti difetti, e aggiunse una quantità di cose per spiegare e giustificare questo suo gradimento. Non era (e come avrebbe potuto esserlo?) il giudizio di un competente; ma lo stesso io mi sentii stranamente rincuorato. Mi parve ad un tratto che le sue ragioni, che erano poi quelle di una persona comune dai gusti comuni, potevano ben valere quelle dei letterati più raffinati: che, dopo tutto, forse, c'era in me un eccesso di autocritica più nocivo che utile; che, insomma, ciò che sin allora mi era mancato non era forse tanto l'ingegno quanto un incoraggiamento affettuoso come quello che ella in quel momento mi prodigava. C'è sempre nei successi riportati in famiglia, tra persone che l'affetto rende indulgenti e parziali, qualcosa di umiliante e di falso: una madre, una sorella, una moglie sono sempre disposte a riconoscerci il genio che gli altri ostinatamente ci rifiutano, ma al tempo stesso la loro lode non ci basta, la sentiamo talvolta più amara di un'aperta condanna. Ora io non provai nulla di tutto questo con mia moglie. Mi sembrò che il racconto le fosse veramente piaciuto, all'infuori dell'affetto che mi portava. D'altra parte le sue lodi furono abbastanza discrete e motivate per non sembrarmi soltanto pietose. Le domandai finalmente quasi con timidezza: "Insomma, ti pare che io debba continuare, insistere?... Guarda di pesare bene le parole... Se tu mi dici di continuare, continuerò... ma se mi dici di smettere, smetterò e non toccherò mai più la penna."

Ella rise e disse: "Mi addossi una grande responsabilità."

Insistetti: "Parla come se io non fossi per te quello che sono ma un estraneo... di' quello che pensi."

"Ma te l'ho già detto," ella rispose, "devi continuare."

"Veramente?"

"Ma sì, veramente."

Ella tacque un momento e quindi aggiunse: "Anzi, guarda... facciamo così... invece di tornare a Roma, andiamo a passare un mese o due nella villa in Toscana... lì ti metterai al lavoro e sono sicura che scriverai cose bellissime."

"Ma tu ti annoierai."

"Perché? Ci sarai tu... e poi per me sarà un cambiamento... sono tanti anni che non sto un poco tranquilla."

Debbo dire che a persuadermi non furono tanto le sue ragioni e i suoi incoraggiamenti quanto una specie di superstizione. Pensai che per la prima volta in vita mia una buona stella mi assisteva e mi dissi che dovevo favorire in tutti i modi questa inopinata inclinazione a mio favore della fortuna. Con mia moglie avevo già trovato quell'amore al quale avevo aspirato per tanti anni invano; forse, dopo l'amore, adesso sarebbe stata la volta della creazione letteraria. Sentivo, insomma, che ero sulla buona strada; e che i benefici effetti del nostro incontro non si erano ancora del tutto esauriti. Abbracciai mia moglie dicendole scherzosamente che d'ora in poi ella sarebbe stata la mia musa. Ella non sembrò comprendere la frase e mi domandò di nuovo quale fosse la mia decisione.

Risposi che, come ella suggeriva, saremmo partiti per la villa tra qualche giorno. Di lì ad una settimana, infatti, lasciammo la Riviera per la Toscana.

V

La villa sorgeva in una specie di fossa, ai piedi di mediocri montagne, davanti una vasta e piatta pianura coltivata. Un piccolo parco folto di alberi fronzuti, la circondava; di modo che non si aveva alcuna vista neppure dalle finestre dell'ultimo piano e ci si poteva illudere di non essere ai margini di una pianura sparsa di cascinali e reticolata di campi, bensì in fondo a qualche grande foresta, in una solitudine romita. A non grande distanza dalla villa, nella pianura, si trovava un grosso borgo rustico. La città più vicina, invece, stava a un'ora di barroccio, in cima ad uno dei monti che si alzavano alle spalle della villa. Era città medievale, cinta di mura merlate, con palazzi, chiese, conventi, musei; ma, come avviene spesso in Toscana, molto più povera del brutto borgo moderno che i traffici avevano fatto sorgere in pianura.

La villa era stata costruita forse un secolo addietro, almeno a giudicare dall'altezza e grandezza degli alberi del parco. Era una costruzione semplice e regolare, con tre piani e tre finestre per piano. Davanti alla facciata principale si apriva uno spiazzo ghiaiato, ombreggiato da due ippocastani; dallo spiazzo un viale serpeggiante portava al cancello del parco e poi, di là, lungo il vecchio muro di cinta, alla strada maestra. Il parco era angusto, come ho detto, ma folto e pieno di recessi ombrosi; i suoi limiti non erano chiaramente definiti salvo che da un lato. Dagli altri, si passava senza siepi né altre divisioni dall'ombra del sottobosco all'apertura dei campi coltivati. Un paio di poderi erano annessi alla proprietà; e il cascinale dei mezzadri sorgeva ai margini del parco, sopra un poggio dal quale si godeva una vista su tutta la immensa pianura. Dalla villa si udivano senza vederli i contadini che incitavano con brevi voci i buoi nei solchi; e non di rado le galline del mezzadro si spargevano per il parco e venivano a beccare fin sul piazzale.

Dentro, la villa era stipata di vecchi mobili in cui erano rappresentati tutti gli stili del secolo passato, dall'Impero su su fino al Liberty. L'ultima abitatrice, una mia nonna materna, vi era morta quasi centenaria dopo avervi raccolto, con una avarizia e una pazienza di formica, roba sufficiente per metter su un'altra casa di grandezza uguale. Le stanze contenevano il doppio dei mobili che servivano; e i cassetti, gli armadi, le cassapanche rigurgitavano di una massa di oggetti eterocliti: vasellame, biancheria, ninnoli, stracci, vecchie carte, utensili, lumi, album di fotografie e altre infinite cose. Le camere da letto erano vaste e scure con letti a baldacchino, canterani immensi, bui ritratti di famiglia. C'erano inoltre un numero imprecisato di salotti, una biblioteca con molti scaffali pieni di vecchi libri, per lo più volumi di patristica, almanacchi e collezioni di riviste, persino una cameretta nuda tutta ingombrata da un biliardo: ma la stoffa era strappata e non restavano che poche stecche e nessuna biglia. Tra tutta quella vecchia roba scricchiolante, in quella mancanza di spazi liberi, ci si muoveva con impaccio, quasi che i veri abitatori della villa fossero stati i mobili e noi degli intrusi. Tuttavia riuscii a sgombrare in parte il salotto del secondo piano restituendolo alla sua antica fisionomia di sala arredata di bei mobili Impero e vi stabilii la mia stanza da studio. Prendemmo una camera da letto per ciascuno; e mia moglie elesse a suo luogo di soggiorno il salotto del piano terreno nel quale si trovavano le sole due poltrone comode della casa.

Incominciammo a menare fin dal primo giorno una vita molto regolare, quasi di laborioso convento. La mattina la vecchia domestica portava la colazione nella camera di mia moglie e facevamo colazione insieme, lei nel letto e io seduto presso il capezzale. Poi la lasciavo, passavo nel salotto, mi sedevo alla scrivania e lavoravo o almeno cercavo di lavorare fino al mezzodì. Intanto mia moglie, dopo aver un poco indugiato in letto, si alzava, faceva una lunga e minuziosa teletta e, pur vestendosi, dava alla cuoca gli ordini per il giorno. Verso mezzodì, mi levavo dal lavoro e scendevo a pianterreno dove mia moglie mi aspettava. Mangiavamo in una piccola sala da pranzo, davanti una portafinestra che dava sul parco. Dopopranzo, prendevamo il caffè nel parco, all'ombra degli ippocastani. Poi salivamo nelle camere per un breve riposo. Il tè ci riuniva di nuovo nel salotto di pianterreno. Dopo il tè, uscivamo per una passeggiata. Non erano molte le passeggiate; la Toscana, dove è coltivata, è più simile ad un giardino, ma senza banchi e senza viali, che ad una campagna: o si prendeva per certi viottoli errabondi che portavano attraverso i campi da una cascina all'altra; oppure si camminava sulla proda erbosa di un canale che attraversava la pianura per tutta la sua lunghezza; oppure ancora ci si avviava per la strada maestra ma senza mai raggiungere né il borgo né la città. Tornati dalla passeggiata che non durava mai più di un'ora, io impartivo a mia moglie la lezione d'inglese e poi, se avanzava il tempo, le leggevo o mi facevo leggere ad alta voce. Cenavamo e, dopo cena, di nuovo lettura oppure conversazione. Finalmente non troppo tardi, salivamo alle nostre camere o meglio io seguivo mia moglie nella sua. Quello era il momento dell'amore al quale, in fondo, tendeva tutta la nostra giornata. Trovavo mia moglie sempre disposta e sempre docile, quasi consapevole di fornire a se stessa e a me un premio e uno sfogo dopo tante ore serene. Nella notte agreste che si affacciava alle finestre spalancate col suo silenzio profondo raramente interrotto da qualche squittio di uccello, in quella camera alta e scura, il nostro amore si accendeva subitamente, e ardeva a lungo, silenzioso, limpido e vivo come la fiamma delle antiche lampade a olio che un tempo avevano illuminato quelle stanze tenebrose. Io sentivo di amare mia moglie ogni giorno di più, il sentimento di ogni sera alimentandosi e prendendo forza da quello della sera avanti; e lei dal canto suo non pareva mai esaurire il tesoro della sua affettuosa e sensuale compiacenza. In quelle notti, per la prima volta nella mia vita, mi parve di penetrare il senso di ciò che sia una passione coniugale: quella mescolanza di devozione violenta e di legittima lussuria, di possesso esclusivo e senza limiti e di godimento fiducioso del possesso stesso. Per la prima volta compresi il senso di padronanza talvolta indiscreto che certi uomini annettono al rapporto coniugale, dicendo mia moglie come dicono la mia casa, il mio cane, la mia automobile.

Quello che non andava troppo bene invece, pur in condizioni tanto favorevoli, era il mio lavoro. Avevo in mente di scrivere una lunga novella o breve romanzo e l'argomento, la storia di un matrimonio, mi appassionava. Era la nostra storia, di mia moglie e di me, e mi pareva di averla già tutta in mente, separata e distinta nei singoli episodi, così da potere stenderla con la massima facilità. Ma come mi mettevo davanti la carta e intraprendevo di scrivere, la faccenda si ingarbugliava. O il foglio si riempiva di cancellature, oppure tiravo diritto per una pagina o due e poi mi accorgevo di aver ammucchiato una quantità di frasi generiche e senza concretezza, oppure ancora, dopo aver scritto le prime righe mi fermavo e restavo immobile, assorto davanti la pagina bianca, come in atto di riflettere profondamente ma in realtà con la mente vuota e l'animo inerte. Ho un senso critico molto sviluppato, e ho esercitato la critica per diversi anni in riviste e giornali; e però mi resi conto molto presto che il lavoro non soltanto non progrediva, ma anche andava peggio di prima. In altri tempi ero riuscito a fissare la mente su un argomento e a svolgerlo, per così dire, di maniera senza, è vero, mai raggiungere la poesia, ma sempre tenendomi ad una scrittura decorosa e pulita. Ora invece mi accorgevo che insieme all'argomento mi sfuggiva anche l'antica padronanza dello stile. Una forza maligna accumulava mio malgrado sulla pagina ripetizioni, solecismi, periodi oscuri e zoppicanti, aggettivazioni incerte, locuzioni enfatiche, luoghi comuni, frasi fatte. Ma soprattutto sentivo con precisione che mi faceva difetto il ritmo, quel respiro, dico, regolare e armonioso della prosa che ne sorregge lo sviluppo come i numeri sorreggono e regolano quello della poesia. Io ricordavo di avere avuto un tempo questo ritmo, molto ragionevole e modesto, è vero, ma purtuttavia sufficiente. Ora anch'esso veniva a mancarmi: incespicavo, balbettavo, mi perdevo in un ribollire di discordanze e di stridori.

Forse avrei lasciato andare il lavoro bastando alla mia felicità l'amore che nutrivo per mia moglie, se lei stessa non mi avesse incitato a persistervi. Non passava giorno che ella non mi domandasse con una sollecitudine affettuosa ed esigente come andasse il lavoro; e io, vergognandomi di confessarle che non andava affatto, le rispondevo un po' vagamente che procedeva in maniera regolare. Ella pareva annettere la massima importanza a quel lavoro, come a qualcosa di cui ella stessa fosse responsabile; e io sentivo ogni giorno di più che dovevo ormai non tanto a me quanto a lei stessa di riuscire a scrivere il mio racconto. Era una prova d'amore che dovevo fornirle, come una dimostrazione del profondo cambiamento che la sua presenza aveva introdotto nella mia vita. E ciò avevo inteso dire quando, abbracciandola, le avevo sussurrato che d'ora in poi ella sarebbe stata la mia musa. Senza rendersene conto, con quella sua quotidiana domanda circa l'impiego della mia mattinata, ella aveva finito per ispirarmi come un punto d'onore: un po' come quelle dame delle favole che chiedevano al cavaliere di riportargli il vello d'oro e di uccidere il mostro; e non s'è mai data favola in cui il cavaliere, mogio e contrito, sia tornato a mani vuote, confessando di non essere stato capace di trovare il vello e di non avere avuto il coraggio di affrontare il drago. Questo punto d'onore era reso tanto più urgente e perentorio dalla natura particolare della sua esigenza: non quella di una donna colta e edotta delle difficoltà del lavoro intellettuale, ma quella di un'amante ignorante e ingenua che probabilmente immaginava che scrivere fosse, dopotutto, una semplice questione di volontà e di applicazione. Cercai un giorno, durante la quotidiana passeggiata, di accennare i numerosi scogli e le non infrequenti impossibilità della creazione letteraria; ma subito intesi che ella non poteva capirmi. "Non sono scrittrice," disse dopo avermi ascoltato, "né ho ambizioni letterarie... ma, se le avessi, mi pare che avrei da dire tante cose... e nelle condizioni in cui ti trovi qui, sono sicura che saprei dirle molto bene." Ella mi guardò un momento in tralice e quindi soggiunse con una grave civetteria: "Ricordati che mi hai promesso di scrivere un racconto in cui ci sono anch'io... ora devi mantenere la promessa." Io non dissi nulla ma non potei fare a meno di pensare con rabbia alle numerose pagine irte di cancellature e di righe accavallate che si ammucchiavano sulla mia scrivania.

Avevo notato che la mattina, dopo aver passato la notte o parte della notte con mia moglie, come mi mettevo al lavoro, provavo un'inclinazione quasi invincibile a distrarmi e non far nulla: avevo la testa vuota, non so che senso di leggerezza alla nuca, come una mancanza di peso per le membra. I rapporti morali con noi stessi sono talvolta assai oscuri; non così quelli fisici che soprattutto nell'età matura, se l'uomo è equilibrato e sano, gli si rivelano con piena chiarezza. Non mi ci volle molto tempo né molta riflessione per attribuire, a torto o a ragione, quell'incapacità di lavorare, quell'impossibilità di fermare la mente sull'argomento, quella tentazione dell'ozio, allo svuotamento fisico che si produceva in me subito dopo l'amore, la notte prima. Talvolta mi levavo dal tavolino e mi guardavo nello specchio: nei muscoli rilassati e disfatti del viso, nelle occhiaie peste, nell'espressione opaca degli occhi, nella fiacchezza e nel languore di tutto il mio atteggiamento riconoscevo proprio la mancanza di quel tono che sentivo invece di possedere ogni notte, al momento che mi stendevo e abbracciavo mia moglie. Capivo che non aggredivo la carta perché la sera avanti avevo speso quell'aggressività nell'amplesso; mi rendevo conto che ciò che davo a mia moglie lo sottraevo in eguale misura al lavoro. Non era questo un pensiero preciso, o almeno non era così preciso come adesso lo espongo, bensì una sensazione diffusa, un sospetto insistente, quasi un inizio di ossessione. La mia forza creativa, pensavo, mi veniva sottratta ogni notte dal mezzo del corpo; e il giorno dopo non era sufficiente a salire dal basso fino ad investire il cervello. Come si vede l'ossessione si organizzava in immagini, in paragoni, in metafore concrete che mi davano un senso fisico e quasi scientifico della mia impotenza.

Le ossessioni o si chiudono come ascessi che non trovando sfogo maturano lentamente fino ad uno scoppio terribile, oppure, nelle persone più sane, trovano presto o tardi un'espressione adeguata. Andai avanti più giorni amando mia moglie la notte e passando il giorno a pensare che non potevo lavorare appunto perché l'avevo amata. Debbo dire a questo punto che questa ossessione non modificava in nulla non soltanto il mio affetto ma anche il trasporto fisico: al momento dell'amore dimenticavo le mie ubbie e quasi mi illudevo, in quella provvisoria e bramosa gagliardia, di essere abbastanza forte per mandare avanti e l'amore e il lavoro. Ma il giorno dopo l'ossessione tornava; e alla notte mi veniva fatto di ricercare di nuovo l'amore se non altro per consolarmi della mia sconfitta nel lavoro e ritrovare insieme quell'effimera illusione di vigore inesauribile. Finalmente, dopo aver girato in tondo parecchio tempo in questo circolo vizioso, una sera mi decisi a parlare. Fui spinto a farlo anche dall'idea che, dopo tutto, era lei a incitarmi al lavoro e che se le premeva veramente, come sembrava, che io scrivessi il racconto, avrebbe compreso e accettato le mie ragioni. Come fummo l'uno accanto all'altro, sul letto, incominciai: "Senti, debbo dirti una cosa che non ti ho mai detto."

Faceva caldo ed eravamo ambedue nudi sulle coperte, lei supina, le mani riunite sotto la nuca, la testa sul guanciale: io disteso al suo fianco. Ella disse a fior di labbra, guardandomi nella sua solita maniera mortificata e sfuggente: "Dilla."

"Si tratta di questo," ripresi, "tu vuoi che io scriva quel racconto."

"Certo."

"Quel racconto in cui si parla di te e di me?"

"Sì."

"Ma in queste condizioni non riuscirò mai a scriverlo."

"Quali condizioni?"

Esitai un momento e poi dissi: "Noi ci amiamo tutte le sere, nevvero? Ebbene io sento che tutta la forza che mi ci vorrebbe per scrivere il racconto, mi va via con te. Se continua così, non potrò mai scriverlo."

Ella mi guardava con quei suoi enormi occhi azzurri, dilatati, si sarebbe detto, dallo sforzo di comprendermi: "Ma come fanno gli altri scrittori?"

"Come facciano non so... Immagino però che, almeno quando lavorano, vivano casti."

"Ma D'Annunzio," ella disse, "ho sentito dire che aveva tante amanti... Come faceva lui?"

Risposi: "Non so se avesse tante amanti... Ebbe soprattutto alcune amanti celebri di cui tutti, a cominciare da lui stesso, parlarono... ma secondo me, si amministrava molto bene... la castità di Baudelaire, per esempio, è famosa."

Ella non disse nulla. Io sentivo che tutto il mio ragionamento sfiorava penosamente il ridicolo, ma ormai avevo cominciato e non potevo che continuare. Ripresi con una voce dolce e carezzevole: "Guarda, che io non tengo affatto a scrivere questo racconto né, in genere, a diventare uno scrittore... ci rinunzio con la massima facilità... Per me quello che conta è il nostro amore."

Ella rispose subito, aggrottando le sopracciglia: "Ma io voglio invece che tu scriva... voglio che tu diventi uno scrittore."

“Perché?”

“Perché tu sei già uno scrittore,” ella disse un po’ confusamente e quasi con irritazione. “Io sento che tu puoi dire tante cose... e poi tu devi lavorare, come tutti gli altri... non puoi vivere ozioso, così, accontentandoti di far l’amore con me... devi diventare qualcuno.” Ella annaspava nelle parole, era chiaro che non sapeva come esprimere quella sua caparbia volontà di vedermi fare ciò che ella voleva che io facessi.

“Non c’è nessuna necessità che io diventi uno scrittore,” risposi sebbene mi sembrasse questa volta di mentire, almeno in parte, “posso benissimo non far nulla... o meglio, continuare a fare quello che ho fatto sinora: leggere, gustare, comprendere, ammirare le opere degli altri... e amarti... Del resto, per non rimanere in ozio, come tu dici, potrei forse dedicarmi a qualche altra professione, qualche altra occupazione...”

“No, no, no,” ella disse in fretta, scuotendo non solo il capo ma anche il corpo, quasi avesse voluto esprimere questo suo diniego con tutta la persona, “tu devi scrivere... tu devi diventare uno scrittore.”

Dopo queste parole restammo un momento silenziosi. Poi ella disse: “Se è vero quanto dici... bisogna che cambiamo tutto.”

“E cioè?”

“Bisogna che non ci amiamo più finché non hai terminato il tuo racconto... poi quando avrai finito, ricominceremo.”

Confesso che fui subito tentato di accettare questa singolare e un po’ ridicola proposta. La mia ossessione era ancora forte e mi faceva dimenticare quanto di egoista e però di falso l’aveva originata. Ma repressi questo primo impulso e, abbracciandola, dissi: “Tu mi ami e questa tua proposta è la maggiore prova d’amore che potevi darmi... ma mi basta che tu l’abbia fatta... continuiamo ad amarci e non pensiamo al resto.”

“No, no,” ella disse imperiosamente, respingendomi, “bisogna fare così... ormai l’hai detto.”

“Sei offesa?”

“Ma vediamo, Silvio, perché offesa?... Io voglio veramente che tu scriva quel racconto, ecco tutto... non far lo stupido." Così dicendo, quasi a sottolineare il carattere affettuoso della sua insistenza, mi abbracciava.

Andammo avanti un poco, io schermendomi e lei insistendo, imperiosa e inflessibile. Alla fine dissi: "Va bene, proverò... può darsi che tutto questo non sia vero e che io sia semplicemente un uomo privo di talento letterario."

"Questo non è vero, Silvio, e tu lo sai."

"Allora," conclusi con sforzo, "va bene... sia come tu vuoi... ma ricordati che sei tu che l'hai voluto."

"Certamente."

Restammo ancora silenziosi un lungo momento, poi io feci un gesto come per abbracciarla. Ma lei tosto mi respinse: "No, da stasera dobbiamo astenerci." Ella rise e, come per correggere l'amarezza del rifiuto, mi prese il viso tra le sue due mani lunghe e magre, delicatamente, come si prende un vaso prezioso e disse: "Vedrai che scriverai tante cose belle... sono sicura." Mi guardava, intenta, quindi soggiunse stranamente: "Mi ami?"

"E me lo domandi?" dissi commosso.

"Ebbene, mi riavrai soltanto quando mi avrai letto il racconto... ricordati."

"E se non fossi capace di scriverlo?"

"Tu devi essere capace."

Ella era imperiosa e questa sua imperiosità ingenua e inesperta, ma al tempo stesso inflessibile, mi piaceva singolarmente. Mi tornò in mente il cavaliere della leggenda a cui la dama domanda in cambio del suo amore di portare il vello e di uccidere il drago; ma questa volta senza rabbia, quasi con ammirazione. Ella non sapeva nulla di poesia, come la dama probabilmente nulla sapeva del vello e del drago; ma proprio per questo mi piaceva il suo comando. Come una conferma del carattere miracoloso e provvidenziale di ogni opera creativa. Mi venne ad un tratto una subita esaltazione tutta mescolata di fiducia, di speranza e di gratitudine. Avvicinai il mio viso al suo, la baciai con tenerezza e sussurrai: "Per amor tuo diventerò scrittore... non per merito mio, ma per amor tuo." Ella non disse nulla. Scesi dal letto e scivolai fuori della camera.

Dopo quel giorno ripresi a lavorare con rinnovato coraggio; e presto mi accorsi che i miei calcoli non erano sbagliati e che, comunque, anche se tra l'amore e il lavoro non c'era in realtà quel rapporto che avevo voluto vederci, l'ossessione d'impotenza che mi aveva oppresso sinora non avrebbe potuto essere dissipata se non nella maniera che avevo prescelto. Ogni mattina mi sentivo più forte, più aggressivo dinanzi alla carta, più, almeno così mi sembrava, creativo. Così dopo l'amore, l'aspirazione massima della mia vita era esaudita: anche la poesia mi sorrideva. Scrivevo ogni mattina con un flusso rapido e impetuoso ma non disordinato né incontrollato da dieci a dodici pagine; e poi per tutto il giorno restavo abbagliato, stordito, semivivo, sentendo che all'infuori del lavoro nulla più importava nella mia vita, neppure l'amore per mia moglie. Ciò che avanzava dopo quelle fervide ore del mattino non erano che i residui, le ceneri, i tizzoni di un incendio glorioso; e fino al nuovo incendio, la mattina dopo, io restavo stranamente inerte e distaccato, pieno di un benessere quasi morboso, indifferente a tutto. Mi rendevo conto che continuando questo ritmo avrei ben presto, forse prima ancora di quanto avevo previsto, finito il mio lavoro; e pensavo che dovevo adoperarmi con ogni mezzo per raccogliere fino all'ultimo chicco di questa messe abbondante e insperata: tutto il resto per il momento non importava. Dire che fossi felice sarebbe troppo poco e al tempo stesso troppo: ero, per la prima volta in vita mia, fuori di me stesso, in un mondo assoluto e perfetto, tutto armonia e certezza. Questa condizione mi rendeva egoista; e suppongo che se mia moglie si fosse allora ammalata, io non avrei risentito alcuna preoccupazione che quella di una possibile interruzione del mio lavoro. Non che non amassi mia moglie, come ho detto l'amavo più che mai, ma essa era come respinta in una zona sospesa e distante, insieme con tutte le altre cose che non riguardavano il lavoro. Insomma, ero convinto, per la prima volta in vita mia, non soltanto di esprimermi, cosa che avevo tentato le mille volte senza mai riuscirci, ma anche di esprimermi in maniera perfetta e completa. In altre parole, avevo la sensazione precisa, fondata, come mi pareva, sopra la mia esperienza di letterato, di scrivere un capolavoro.

VI

Dopo aver lavorato la mattina, passavo il pomeriggio nella maniera solita, procurando soltanto di non avere né emozioni né scosse né distrazioni, apparentemente lontanissimo dalla letteratura ma in realtà, nel fondo più oscuro del mio animo, vagheggiando e accarezzando quanto avevo scritto il mattino e avevo intenzione di scrivere il giorno dopo. Poi veniva la notte. Salutavo mia moglie sul pianerottolo, tra le due porte delle nostre camere, e andavo subito a coricarmi. Dormivo con una confidenza che non avevo mai conosciuto, quasi con la consapevolezza di accumulare di nuovo quelle forze che al mattino avrei speso al lavoro. Il risveglio mi trovava pronto e disposto e vigoroso e leggero, la testa piena di idee che durante il sonno vi erano spuntate come l'erba in un prato durante una notte di pioggia. Mi mettevo al tavolino, esitavo un solo minuto e quindi la penna, quasi mossa da una volontà indipendente, prendeva a correre per i fogli da una parola all'altra, da una riga all'altra, come se tra la mia mente e l'arabesco d'inchiostro che si svolgeva senza tregua sulla carta non ci fossero state né soluzioni di continuità né differenza di materia. Io avevo nella testa una grossa e inesauribile matassa e con quell'atto di scrivere non facevo che tirare e svolgere il filo disponendolo su fogli nei disegni neri ed eleganti della scrittura; e questa matassa non aveva nodi né interruzioni; e girava nella mia testa secondo come la svolgevo; e io sentivo che più svolgevo e più restava da svolgere. Scrivevo come ho detto da dieci a dodici pagine, spingendomi fino all'esaurimento della resistenza fisica, pauroso soprattutto che questa piena del mio ingegno, per qualche misterioso motivo, avesse ad un tratto a decrescere o addirittura a cessare affatto. Finalmente quando non ne potevo più, mi levavo dalla scrivania con le gambe fiaccate e la testa presa da vertigine, mi avvicinavo ad uno specchio e mi guardavo. Là nello specchio vedevo non una ma due e tre immagini di me stesso sdoppiarsi lentamente confondendosi e intersecandosi. La toletta, lunga e minuziosa, mi rimetteva in piedi, sebbene, come ho detto, restassi poi abbagliato e stordito tutto il giorno.

Più tardi a tavola mangiavo con un appetito gagliardo e automatico, quasi con la sensazione di non essere un uomo bensì una macchina scarica che si dovesse rifornire di combustibile, dopo molte ore di forsennato rendimento. Pur mangiando, ridevo, scherzavo, facevo, cosa nuova in me di solito serio e meditabondo, persino dei motti di spirito. Come sempre mi avviene quando per qualche motivo cedo all'entusiasmo, c'era una specie di indiscrezione e quasi di inverecondia in questa mia esuberanza: io me ne rendevo conto, soltanto, mentre un tempo, pur abbandonandomi, mi sarei vergognato, ora invece quasi me ne compiacevo. Ero lì a tavola, seduto davanti a mia moglie, in atto di mangiare; ma in realtà non c'ero. La parte migliore di me era rimasta nel salotto, allo scrittoio, la penna in mano. Il resto del giorno continuava nella stessa aria di allegria, un po' sconnessa, ed eccessiva di ubbriaco.

Fossi stato meno entusiasta, meno inebriato dalla fortuna, avrei forse ravvisato nella fecondità di quei giorni la presenza di quella stessa buona volontà che talvolta mi pareva di sorprendere nell'atteggiamento di mia moglie verso di me. In altri termini e senza inferirne che il racconto che andavo scrivendo non fosse quel capolavoro che credevo, avrei potuto pensare che tutto questo era troppo bello per essere vero. La perfezione non è cosa umana; e il più delle volte essa appartiene piuttosto alla menzogna che alla verità; sia che questa menzogna si annidi nei rapporti tra noi e gli altri, sia che presieda a quelli tra noi e noi stessi. E questo perché ad evitare le irregolarità, i difetti, le ruvidezze della verità è più atta la finzione la quale vola al suo scopo senza intoppi né pentimenti che non un modo di azione scrupoloso e aderente alla materia sulla quale si esercita. Come ho detto avrei potuto insospettirmi di un andamento così liscio delle mie cose, dopo dieci e più anni di vani tentativi. Ma oltre che egoisti, la felicità rende spesso anche spensierati e superficiali. Mi dicevo che l'incontro con mia moglie era stato la scintilla che aveva fatto finalmente scoppiare quel grande e generoso incendio; e oltre questa constatazione non andavo.

Ero tanto assorto nel mio lavoro che non feci caso ad un piccolo seppure bizzarro incidente che ebbe luogo in quei giorni. Io sono molto delicato di pelle e ho, come si dice, la barba difficile; cioè restia a lasciarsi radere senza l'accompagnamento di rossori e irritazioni. Per questo motivo non ho mai potuto radermi da solo e mi son sempre giovato, come mi giovo tuttora, dell'opera di un barbiere. Anche nella villa, come dovunque, procurai di farmi radere da un barbiere ogni mattina. Egli veniva dal borgo vicino dove possedeva il solo negozio di parrucchiere, molto modesto in verità. Veniva in bicicletta e si presentava esattamente alle dodici e mezzo, chiudendo il negozio appunto al mezzodì. La sua venuta era il segnale dell'interruzione del lavoro. Essa coincideva altresì con il momento migliore della mia giornata, con quello scatenamento già descritto della allegria indiscreta e tutta fisica che mi procurava il senso del lavoro compiuto.

Questo barbiere era un uomo basso e largo di spalle, completamente calvo dalla fronte fino alla nuca, con un collo spesso e una faccia pingue. Di persona era atticciato ma non grasso. Nel suo viso di un uniforme colore bruno che tirava al giallo come per un resto di antica itterizia, erano notevoli gli occhi, tondi e grandi, con un bianco molto visibile, dotati di uno sguardo chiaro, interrogativo, stupito, forse ironico. Aveva il naso piccolo e la bocca larga ma senza labbra, che a rari sorrisi scopriva due file di denti rotti e scuri. Nel mento profondamente ripiegato, aveva una fossetta strana e ripugnante, simile ad un ombelico. La voce di Antonio, ché così egli si chiamava, era dolce e oltremodo calma; e la sua mano, come mi avvidi fin dal primo giorno, di una leggerezza e destrezza rare. Era un uomo sui quarant'anni e, come seppi, aveva moglie e cinque figli. Ultimo particolare: non era toscano ma siciliano di un paese del centro della Sicilia. Da una relazione amorosa contratta durante il servizio militare, era stato indotto a sposarsi e a stabilirsi in quel borgo dove in seguito aveva aperto un negozio di barbiere. La moglie era contadina, ma il sabato lasciava il podere e aiutava il marito a radere i numerosi clienti che convenivano nella bottega alla vigilia del giorno festivo.

Antonio era molto puntuale. Ogni giorno alle dodici e mezzo, attraverso la finestra aperta, udivo la ghiaia scricchiolare sotto le ruote della sua bicicletta nello spiazzo di sotto; e questo per me era il segnale di interrompere il lavoro. Di lì ad un momento egli bussava alla porta del salotto; e io levandomi dalla scrivania, gli gridavo gioiosamente di farsi avanti. Egli apriva la porta, entrava, la richiudeva con cura e mi faceva un mezzo inchino augurandomi il buon giorno. Insieme con lui entrava la cameriera portando una piccola brocca di acqua bollente che deponeva sopra una tavolina a ruote dove erano disposti il sapone, il pennello e i rasoi. Antonio spingeva la tavolina presso la poltrona in cui io, intanto, mi ero seduto. Egli affilava a lungo il rasoio sulla coramella, voltandomi le spalle; poi lo vedevo versare un po' d'acqua calda in una bacinella, intingervi il pennello e menarlo a lungo in tondo nella ciotola del sapone. Finalmente reggendo il pennello schiumoso in aria come una torcia, si voltava verso di me. Egli mi insaponava interminabilmente, non smettendo se non quando avessi tutta la parte inferiore del viso avvolta in una massa enorme di spuma bianca. Soltanto allora deponeva il pennello e impugnava il rasoio.

Ho descritto minuziosamente questi atti così comuni per dare il senso della lentezza e precisione dei suoi gesti. E nello stesso tempo quello della disposizione del mio animo a sopportare, anzi a godere di quella lentezza e precisione. Di solito non amo stare sotto il rasoio e la melensa minuziosità di certi barbieri mi spazientisce. Ma con Antonio era diverso. Sentivo che il solo tempo che avesse qualche valore era quello che passavo al tavolino, prima della sua venuta. Dopo, che lo dedicassi alla mia barba, o alla lettura, o alla conversazione con mia moglie, per me faceva tutt'uno. Era un tempo che non contava dal momento che non riguardava il mio lavoro; e l'impiego che ne facevo mi era indifferente.

Antonio era taciturno, non così io, che dopo la compressione e lo sforzo del lavoro, provavo un bisogno irresistibile di sfogare in qualche modo la mia felicità. Così gli parlavo, come si dice, del più e del meno: della vita del borgo, degli abitanti, del raccolto, della sua famiglia, dei signori del luogo e altre cose simili. Un argomento che mi incuriosiva più degli altri era, come ricordo, il contrasto tra l'origine meridionale del barbiere e il paese di adozione. Niente potrebbe essere più diverso dalla Sicilia che la Toscana. E infatti più di una volta riuscii a fargli dire sulla Toscana e sui toscani osservazioni curiose dalle quali mi sembrò che trapelasse un certo disdegno e fastidio. Ma per lo più Antonio rispondeva con estrema sobrietà; seppure, come osservai, con notevole precisione. Aveva un modo di parlare breve, reticente, sentenzioso, forse ironico, ma di una ironia inafferrabile tanto era leggera. Talvolta, come ridevo a squarciagola di qualche mio motto di spirito oppure mi scaldavo parlando, sospendeva di insaponarmi o di radermi e, il pennello o il rasoio levato a mezz'aria, aspettava pazientemente che io mi fossi taciuto e ricomposto.

VII

Io non mi proponevo, come mi sembra di aver fatto capire, alcun fine parlandogli; tuttavia, dopo qualche tempo, mi resi conto che, nonostante tutte le confidenze a cui lo costringevo, non avevo penetrato il centro del suo animo, la sua preoccupazione dominante. Pur essendo povero, con una famiglia numerosa, non pareva darsi molto pensiero del fatto economico. Della famiglia parlava con distacco, senza affetto né fierezza, né alcun altro sentimento particolare, come si parla di qualche cosa di inevitabile e perfettamente naturale. Di politica, come mi avvidi subito, non si curava affatto. Il mestiere poi, sebbene lo conoscesse a fondo e lo esercitasse volentieri, non sembrava essere per lui più che un semplice mezzo per campare la vita. Mi dissi finalmente che c'era in lui qualche cosa di misterioso; ma non più che in tante persone del popolo alle quali i ricchi attribuiscono volentieri pensieri e affanni inerenti al loro stato e poi invece scoprono preoccupate delle stesse cose che stanno a cuore a tutti gli uomini.

Di solito mentre Antonio mi faceva la barba, mia moglie entrava nella camera e si sedeva al sole, nel vano della finestra, con il necessario per le unghie oppure con un libro. Non so perché, questa visita mattutina di mia moglie mentre Antonio mi radeva, mi faceva molto piacere. Come Antonio ella era uno specchio in cui miravo riflessa la mia felicità. Come Antonio, seppure in maniera diversa, entrando e sedendosi, nel salotto dove avevo fino allora lavorato, contribuiva a riportarmi nell'atmosfera della vita quotidiana, quell'atmosfera, dico, indulgente, serena, ordinata, che mi permetteva di andare avanti con sicurezza e tranquillità nel mio lavoro. Ogni tanto interrompevo le mie chiacchiere con il barbiere e le domandavo come stava o quale libro leggeva o quello che faceva. Ella rispondeva senza levare gli occhi né interrompere di leggere o di limare le unghie, tranquillamente, sobriamente. Il sole faceva brillare i suoi capelli biondi, disfatti in due lunghe onde ai due lati del viso; dietro la sua testa chinata, non meno luminosi, vedevo, attraverso la finestra spalancata, gli alberi del parco e il cielo azzurro. Questo stesso sole destava fulvi riflessi nei mobili, sprizzava raggi accecanti dal rasoio di Antonio e si stendeva benigno dal davanzale fino agli angoli più lontani del salotto rianimando gli sbiaditi colori e le polverose superfici di tutte quelle vecchie stoffe e di quelle antiche suppellettili. Ero così felice che una di quelle mattine pensai: "Finché vivrò, mi ricorderò di questa scena... io disteso nella poltrona, con Antonio che mi rade... la finestra aperta, il salotto pieno di sole e mia moglie seduta lì presso, al sole."

Un giorno mia moglie entrò in vestaglia e avvertì Antonio che desiderava la sua opera per acconciare i capelli. Si trattava, ella disse, di un semplice colpo di ferro: al lavaggio aveva già provveduto lei stessa, quella mattina. Ella domandò ad Antonio se sapesse arricciare i capelli, e avutane risposta affermativa, lo invitò, quando avesse finito con me, a passare in camera sua. Uscita mia moglie, domandai ad Antonio se avesse mai fatto il parrucchiere per signora ed egli rispose non senza vanità che a lui ricorrevano tutte le ragazze della contrada per farsi acconciare. Mi stupii e lui confermò che ormai anche le più rustiche contadine volevano la permanente. "Sono più esigenti che le signore di città," concluse con un sorriso, "non sono mai contente... qualche volta c'è da diventare matti." Egli mi rase con la solita lentezza e precisione. Quindi, dopo aver rimesso in ordine i ferri, uscì per andare da mia moglie.

Partito Antonio, sedetti al sole, nella poltrona in cui era solita mettersi mia moglie, un libro in mano. Ricordo che era l'*Aminta* del Tasso che in quel tempo avevo ripreso a leggere. Mi sentivo in una disposizione d'animo particolarmente lucida e sensibile e l'incanto di quella poesia leggiadra, così in accordo con la luminosità e dolcezza della giornata mi fece presto dimenticare l'attesa. Ogni tanto ad un verso più armonioso, levavo gli occhi verso la finestra, ripetendolo mentalmente; e in questo gesto mi pareva di prendere ogni volta coscienza della mia felicità, come chi muovendosi in un letto ben riscaldato, ne avverta ad ogni movimento il tepore. Il lavoro di Antonio presso mia moglie durò circa tre quarti d'ora. Alla fine lo udii uscire nello spiazzo, salutare la cameriera con voce tranquilla e poi udii la ghiaia scricchiolare sotto le ruote della bicicletta che si allontanava. Pochi minuti dopo mia moglie entrò nel salotto.

Mi levai in piedi per guardarla. Antonio, a quanto sembrava, se l'era cavata riempiendole la testa di riccioli e trasformando la sua capigliatura da liscia e disfatta che era in una specie di parrucca settecentesca. Tutti quei riccioli sovrapposti e pullulanti intorno al magro e lungo viso, le davano a prima vista un'aria curiosa, come di contadina agghindata. Questo senso di rusticità era confermato da un piccolo mazzo di fiori freschi, mi pare che fossero gerani rossi, appuntati poco al disopra della tempia sinistra.

"Ma benissimo," gridai con irruente allegria, "Antonio è proprio un mago... Mario o Attilio di Roma possono andare a nascondersi, non sono degni neppure di allacciargli le scarpe... Sembri proprio una delle contadinelle di qui quando si recano alla fiera la domenica... e quei fiori sono proprio una meraviglia... Fatti vedere." Così dicendo cercavo di farla girare sopra se stessa per meglio ammirare l'opera del barbiere.

Ma con mia sorpresa, mia moglie aveva il viso offuscato da non sapevo che malumore. Il grosso labbro inferiore le tremava, segno in lei di ira. Alla fine, con un gesto di intenso fastidio, mi respinse dicendo: "Ti prego di non scherzare... non ho proprio voglia di scherzare."

Io non compresi e continuai: "Via, non vergognarti... ti assicuro che Antonio si è fatto onore... stai benissimo... sta' tranquilla, alla fiera, domenica prossima non sfigurerai... e se ti presenterai a ballo, avrai certamente delle proposte di matrimonio."

Come si vede, immaginavo che il suo malumore fosse dovuto all'opera di Antonio: la sapevo molto vana e non sarebbe stata la prima volta che un parrucchiere inabile destava la sua ira. Ma mi respinse di nuovo, questa volta con risentimento e ripeté: "Ti ho già detto di non scherzare."

Mi albeggiò ad un tratto nella mente che il suo malcontento fosse originato da altra causa che la sua acconciatura. Domandai: "Ma perché? Che è successo?"

Ella era andata alla finestra e guardava di fuori, le due mani appoggiate sul davanzale.

Improvvisamente si voltò: "È successo che tu domani devi farmi il favore di cambiare barbiere... quell'Antonio, qui, non lo voglio più."

Rimasi interdetto: "Ma perché... non è un barbiere di città, s'intende... ma per me va bene... vuol dire che tu non te ne servirai più."

"Oh, Silvio," ella proruppe con stizza, "ma perché non vuoi capirmi... non si tratta della bravura... che m'importa che sia bravo?"

"Ma allora di che cosa si tratta?"

"Mi ha mancato di rispetto... e non voglio più vederlo... mai più."

"Ti ha mancato di rispetto... e come?"

Doveva esserci sul mio viso e nel tono della mia voce ancora un riflesso della solita spensierata indifferenza di quelle mattine, perché ella soggiunse con dispetto: "Ma a te che importa che Antonio mi manchi di rispetto... a te non fa nulla, si capisce."

Temetti di averla offesa; e avvicinandomi a lei, domandai con serietà: "Scusami... ma forse non avevo capito... insomma, si può sapere in che modo ti ha mancato di rispetto?"

"Mi ha mancato di rispetto," ella gridò con ira improvvisa, voltandosi una seconda volta verso di me, le narici frementi, gli occhi induriti, "e tanto basta... è un uomo orribile... mandalo via, cambialo... non voglio più averlo tra i piedi."

"Non capisco," dissi, "è un uomo di solito rispettosissimo... serio... un padre di famiglia."

"Sì," ella ripeté alzando le spalle, con sarcasmo, "un padre di famiglia."

"Ma si può sapere alla fine che cosa ti ha fatto?"

Disputammo così un poco, io insistendo per sapere in che cosa consistesse la mancanza di rispetto di Antonio, e lei rifiutandosi di fornire alcuna spiegazione e ripetendo l'accusa. Alla fine, dopo molte e furiose schermaglie, mi parve di comprendere quanto era avvenuto: per acconciarla, Antonio aveva dovuto farsi presso la poltrona in cui ella stava seduta. Ora le era sembrato che più di una volta Antonio avesse cercato di sfiorarle con il proprio corpo la spalla e il braccio. Dico: le era sembrato; perché lei stessa riconosceva che il barbiere aveva continuato imperturbabile la sua opera, sempre silenzioso e rispettoso allo stesso modo. Ma quei contatti, ella giurava, non erano stati fortuiti; ella vi aveva avvertito un'intenzione, una volontà. Essa era sicura che per mezzo di quei contatti, Antonio aveva inteso stabilire un rapporto con lei, farle una sua muta e sconveniente proposta.

"Ma sei proprio sicura?" domandai alla fine, stupito.

"Ma come potrei non esserlo? Oh Silvio, come puoi dubitare?"

"Ma potrebbe essere una semplice impressione."

"Macché impressione... E poi basta guardarlo... quell'uomo è sinistro... tutto calvo, con quel collo e quegli occhi che guardano sempre di sotto in su e mai in faccia... la calvizie di quell'uomo è truce... non lo vedi?... Sei cieco?"

"Potrebbe essere un caso... per il loro lavoro i barbieri sono costretti a star molto vicini ai clienti."

"No, non è stato un caso... una volta forse sarebbe stato un caso... ma più volte, ma tutto il tempo... non è stato un caso..."

"Vediamo," dissi; e non posso negare che non provassi qualche divertimento nel fare questa specie di inchiesta, "mettiti su questa seggiola... io farò come Antonio. Vediamo."

Ella bolliva di impazienza e di ira; ma, seppure di malagrazia, ubbidì e sedette sulla seggiola. Io presi una matita fingendo che fosse il ferro da arricciare e mi sporsi per acconciarle i capelli. Effettivamente, in questa posizione, come avevo immaginato, la parte inferiore del mio ventre veniva a trovarsi all'altezza del braccio e della spalla di lei e non potevo non sfiorarla.

"Vedi," dissi, "è proprio come avevo pensato... lui non poteva non toccarti... semmai eri tu che dovevi tirarti un po' in qua, dall'altra parte."

"È quello che ho fatto... ma allora lui è passato dall'altra parte."

"Forse doveva farlo per arricciarti da quel lato."

"Ma Silvio... possibile che sei così cieco... così stupido...

si direbbe che lo fai apposta... ma se ti dico che c'era una volontà in quei contatti."

Una domanda era sulle mie labbra, ma esitavo a farla. Finalmente dissi: "C'è contatto e contatto... ti parve che durante questi contatti egli fosse... come dire?... turbato?"

Ella stava affondata nella poltrona, un dito tra i denti, una strana perplessità dipinta sul viso ancora adirato. "Altroché," rispose alzando le spalle.

Temetti di non aver bene capito o di non essermi fatto capire. "Insomma," insistetti, "dava a vedere di essere eccitato?"

"Eh già."

Ormai mi accorgevo di essere forse ancor più stupito del contegno di mia moglie che di quello di Antonio. Ella non era più una fanciulla, ma donna di molta esperienza; inoltre non ignoravo che in lei, per quanto riguardava questo genere di cose, c'era sempre stato una specie di allegro cinismo. Quanto sapevo di lei, mi induceva a pensare che avrebbe dovuto non far caso all'incidente; o tutt'al più riferirmelo con distacco e ironia. Invece tutto quel furore, quell'odio. Dissi perplesso: "Guarda che questo non vuol dire ancora nulla... a tutti può accadere, a certi contatti, di accendersi di desiderio senza volerlo, anzi non volendolo affatto... è accaduto anche a me talvolta in una folla o in un tram di trovarmi pigiato contro qualche donna e di turbarmi mio malgrado... Lo spirito è forte," soggiunsi scherzosamente, con l'intenzione di smontarla, "ma la carne è debole... che diamine..."

Ella non disse nulla. Pareva riflettere mordendosi la punta del dito e guardando alla finestra. Pensai che si fosse calmata e proseguii sempre scherzosamente: "Anche i santi subiscono le tentazioni, figuriamoci i barbieri... il povero Antonio quando meno se l'aspettava ha scoperto suo malgrado che sei una donna molto bella e molto desiderabile... Trovandosi vicino a te, non ha saputo dominarsi... probabilmente è stato altrettanto spiacevole per lui che per te... ecco tutto."

Ella taceva sempre. Conclusi con brio: "In fondo dovresti prendere quest'incidente con allegria... piuttosto che una mancanza di rispetto, è stato una specie di omaggio... un po' rustico e grossolano, lo ammetto, ma paese che vai usanze che trovi."

Trasportato dalla solita baldanzosa allegria posteriore al lavoro, diventavo, come si vede, deplorevolmente faceto. Me ne accorsi a tempo e rifacendomi serio, soggiunsi in fretta: "Scusami, mi accorgo che sono stato volgare... ma a dire la verità non riesco a prendere sul serio tutta questa storia... tanto più che sono sicuro che Antonio è innocente."

Ella parlò alla fine. "Tutto questo non m'interessa," disse, "quello che voglio sapere è se sei disposto a mandarlo via... ecco tutto."

Ho già detto che la felicità rende egoisti. In quel momento probabilmente, il mio egoismo era al colmo. Ora io sapevo che al borgo non c'era che quel barbiere. Sapevo altresì che era impossibile trovarne un altro in città disposto a percorrere ogni giorno parecchi chilometri per venire a farmi la barba. Si trattava di rinunziare del tutto al barbiere e radermi da solo. Ma siccome non so radermi, questo avrebbe portato a infiammazioni della pelle, graffi, tagli e, insomma, a una quantità di fastidi. E invece, finché lavoravo, volevo che tutto restasse immobile e inalterato, che nulla venisse a turbare quella mia tranquillità profonda che, a torto o a ragione, consideravo indispensabile, appunto, al buon andamento del mio lavoro. Mi feci ad un tratto molto serio e dissi: "Ma cara... tu non sei riuscita a convincermi che Antonio ti ha mancato davvero di rispetto... voglio dire intenzionalmente... Perché dovrei licenziarlo? Per quale motivo? Su quale pretesto?"

"Qualsiasi pretesto... di' che partiamo."

"Non è vero... lo scoprirebbe subito."

"Che m'importa? Purché non lo veda più."

"Ma non è possibile..."

"Non vuoi farmi neppure questo piacere," ella gridò esasperata.

"Ma cara, rifletti... perché offendere gratuitamente un poveruomo che..."

"Macché poveruomo... è un uomo truce, orribile, sinistro."

"E poi, come fare per la mia barba... sai benissimo che intorno a questa casa non ci sono barbieri per lo spazio di venti chilometri."

"Raditi da te."

"Ma io non so radermi."

"Che uomo sei? Non sai neppure raderti."

"No, non so radermi, che posso farci?"

"Fatti crescere la barba."

"Per carità... non potrei più dormire."

Ella tacque un lungo momento quindi gridò con una voce in cui pareva risuonare una specie di disperazione: "Insomma tu non vuoi farmi questo favore che ti chiedo... non vuoi farmelo."

"Ma Dina..."

"Sì, non vuoi farmelo... e vuoi obbligarmi a rivedere quell'uomo orribile, disgustoso... vuoi obbligarmi ad avere a fare con lui."

"Ma io non voglio affatto obbligarti... non farti vedere... resta in camera tua."

"Così io dovrò nascondermi in casa mia, perché tu non vuoi farmi quel favore."

"Ma Dina..."

"Lasciami." Io mi ero accostato a lei e cercavo di prenderle una mano. "Lasciami... io voglio che tu lo mandi via, hai capito?"

Mi parve di dover prendere finalmente un atteggiamento di fermezza. "Senti Dina," dissi, "ti prego di non insistere... questo è un capriccio bello e buono e io non voglio cedere ai capricci... ora io cercherò di scoprire se quanto affermi è vero... ma soltanto se sarà dimostrata la verità delle tue accuse, manderò via quell'uomo... altrimenti niente."

Ella mi guardò a lungo, poi, senza dir parola, si alzò e uscì dal salotto.

Rimasto solo, riflettei un poco sull'incidente. Ero sinceramente convinto che le cose fossero andate come avevo detto. Certamente Antonio si era turbato a contatto del braccio di lei e non era stato capace di dominare il proprio turbamento. Ma ero sicuro che non aveva fatto nulla per favorire e moltiplicare i contatti che, del resto, nella sua posizione, erano inevitabili. Egli era insomma soltanto colpevole di non aver saputo distrarsi dall'involontario desiderio. Tale, d'altra parte, è tuttora la mia convinzione, perché penso che certe tentazioni sono tanto più forti in quanto non sono né premeditate né volute.

Queste riflessioni fatte in solitudine e in perfetta buona fede, mi fecero evaporare anche l'ultimo rimorso. Capivo che avevo agito per egoismo, in fondo; ma quest'egoismo non contraddiceva ciò che ritenevo fosse la vera giustizia. Ero convinto dell'innocenza di Antonio; e perciò non provavo alcuno scrupolo ad anteporre il mio tornaconto a quello che stimavo un semplice capriccio di mia moglie.

Quella mattina stessa, pochi minuti dopo, ritrovai Leda a tavola. Pareva del tutto calma, anzi serena. Un momento che la cameriera era uscita con i piatti, mi disse: "Va bene... continua a farti servire da Antonio... ma fa' in modo che io non lo veda... se soltanto lo incontro per la scala, non rispondo di me... sei avvertito."

Finsi di non aver udito, pieno di imbarazzo. Ella soggiunse: "Può darsi che non sia che un capriccio... ma i miei capricci dovrebbero essere più importanti per te che i tuoi comodi, non ti pare?"

Era proprio il contrario giusto di quanto avevo pensato; e non potei fare a meno di notarlo mentalmente. Per fortuna, in quel momento rientrò la cameriera e il discorso rimase lì. Più tardi durante la passeggiata, cercai di riattaccarlo: provavo di nuovo rimorso, avrei voluto che ella si convincesse delle mie ragioni. Ma questa volta, con mia meraviglia, ella disse dolcemente: "Non parliamone più, vuoi, Silvio? Stamattina me ne importava, non so neppure io perché, ma adesso, dopo averci pensato su, mi rendo conto che ho esagerato... adesso ti assicuro che non mi fa più nulla..."

Ella pareva sincera e, in certo senso, quasi pentita della sua ira del mattino. Insistetti: "Ne sei sicura?..."

"Te lo giuro," ella disse con calore, "che ragione avrei di mentirti senò?"

Tacqui; e la passeggiata proseguì con altri discorsi. Così mi convinsi che mia moglie avesse davvero scacciato l'argomento dalla sua mente.

VIII

Oggi, raccontando l'incidente di Antonio, sono portato per forza a metterlo in evidenza nella prospettiva degli avvenimenti che si verificarono prima e dopo di esso. Così immagino che si faccia anche quando si scrive la storia. Ma allo stesso modo che nella realtà importantissimi avvenimenti passano quasi inosservati ai contemporanei e pochi non soltanto tra gli spettatori ma anche tra gli attori si accorsero che la Rivoluzione francese era la Rivoluzione francese, così nel momento in cui ebbe luogo, l'episodio di Antonio colpì pochissimo la mia immaginazione, molto meno di quanto potrebbero lasciar supporre queste note. In realtà non ero preparato a dare importanza ad un siffatto incidente: i miei rapporti con mia moglie sin allora erano stati ragionevoli e felici; e nessuno si aspetterebbe di trovare un trabocchetto medievale nel bel mezzo di una chiara camera moderna. Debbo insistere su questa innocenza del mio animo in quel momento: essa scusa in parte il mio egoismo e spiega la mia superficialità. Insomma, quali che ne fossero i motivi, io non volli né fui in grado, in quell'occasione, di pensare al male. Tanto è vero che il giorno dopo, come Antonio bussò alla porta del salotto alla solita ora, mi resi conto di non provare alcun risentimento, alcun turbamento. Ma in quel distacco estremo e obbiettivo della mente, mi parve quasi piacevole di studiare l'uomo nella nuova luce che le accuse di mia moglie proiettavano su di lui. Per prima cosa, mentre mi radeva e io come il solito gli parlavo (e non duravo nessuno sforzo a parlargli), lo osservai attentamente. Badava, come sempre, al lavoro e come sempre eseguiva questo lavoro con perizia e leggerezza. Pensai che se le accuse di mia moglie erano vere, allora voleva dire che era un dissimulatore eccezionale, tanto quel suo viso largo e leggermente pingue, di un freddo colore tra il bruno e il giallo, pareva assorto e placido. Mi echeggiarono ancora nell'orecchio le parole di mia moglie: "È un uomo truce, sinistro, orribile," ma dopo averlo ben bene osservato, fui costretto a concludere che non c'era nulla in lui di truce, di orribile, di sinistro. Semmai aveva un aspetto paterno, di uomo avvezzo a tenere a bada cinque figlioli ancora piccoli, pieno di una autorità tutta fisica e inconsapevole. Un altro pensiero mi venne in mente guardandolo e sebbene mi rendessi conto in confuso che era un pensiero sciocco, mi ci attaccai subito come ad un argomento irrefutabile: un uomo così brutto a meno che non fosse pazzo, e certamente Antonio pazzo non era, non poteva sperare di aver successo con le donne e tanto meno con una donna come mia moglie, così bella e di una condizione così diversa dalla sua. Non senza compiacimento, notai che era veramente pingue in viso, ma di una pinguedine poco attraente che non dava neppure il senso della salute: leggermente unta, liscia e un po' vizza, e come gonfia di maligno umore tra le mascelle e il collo in modo da ricordare l'analoga gonfiezza di certi serpenti tropicali nel momento dell'ira. Le orecchie erano grandi, coi lobi piatti e pendenti; la calvizie, forse bruciata dal sole estivo, bruna, a chiazze. Antonio doveva essere molto villoso: peli a ciuffi gli spuntavano dalle orecchie e dalle narici, e pelosi erano perfino gli zigomi e la punta del naso. Dopo aver studiato a lungo, con compiaciuta minuziosità, questa bruttezza, colsi un momento in cui Antonio si voltava per nettare il rasoio sopra un pezzo di carta e dissi in tono sbadato: "Mi sono sempre domandato, Antonio, se un uomo come lei, sposato e con cinque figli, trova il tempo e il modo di occuparsi delle donne."

Egli rispose senza sorridere, avvicinandosi di nuovo col rasoio: "Per quella cosa lì, signor Baldeschi, il tempo si trova sempre."

Confesso che mi ero aspettato una risposta diversa e provai quasi dello stupore. Obbiettai: "Ma sua moglie non è gelosa?"

"Tutte le mogli sono gelose."

"Così lei la tradisce?"

Egli sollevò il rasoio e guardandomi in faccia disse: "Scusi, signor Baldeschi, ma questi sono fatti miei."

Sentii di arrossire. Io gli avevo mosso quella domanda indiscreta perché credevo, un po' stupidamente, di averne diritto, come da superiore a inferiore; ma lui mi aveva rimesso, come si dice, a posto, da pari a pari, e questo non me l'ero aspettato. Provai un senso di irritazione e quasi la tentazione di rispondergli: "Non sono soltanto fatti suoi ma anche miei, dal momento che lei ha avuto l'impudenza di dar noia a mia moglie." Ma repressi questo impulso e dissi un po' confusamente: "Lei non deve offendersi Antonio... ho detto così per dire."

Egli disse: "Si capisce," e quindi, appoggiandomi il rasoio sulla guancia, e radendomi piano, soggiunse, quasi avesse voluto correggere la bruschezza della prima frase e mitigare la mia mortificazione: "Vede, signor Baldeschi, le donne piacciono a tutti... anche il prete qui accanto a San Lorenzo ha una donna e questa donna gli ha dato due figli... se si potesse guardare nella testa della gente si vedrebbe che tutti hanno qualche donna... ma nessuno ne parla volentieri, anche perché se parlasse, si verrebbe a risapere e nascerebbe qualche storia... e le donne, si sa, si fidano soltanto di coloro che non parlano."

Così egli mi dava una lezione di segretezza galante; ma lasciando tuttora in dubbio se lui apparteneva alla categoria degli uomini che non parlano, e di cui le donne si fidano. Per quel mattino non dissi più nulla e cambiai discorso. Ma mi era venuto il sospetto che, dopo tutto, l'accusa di mia moglie potesse essere fondata. Nel pomeriggio, come era solito una volta alla settimana, venne Angelo, il figlio maggiore del mezzadro, a fare i conti. Mi chiusi con lui nel salotto e dopo avere esaminato i conti, portai il discorso su Antonio, domandandogli se lo conoscesse e che cosa ne pensasse. Angelo, giovane contadino biondo dall'aria al tempo stesso furba e sciocca, rispose con un sorriso un po' malevolo: "Sì, sì, lo conosciamo... lo conosciamo."

Gli domandai: "Mi sembra, o mi sbaglio, che lei non abbia una grande simpatia per Antonio."

Egli disse dopo un momento di esitazione: "Come barbiere, non c'è dubbio che sia un buon barbiere..."

"Ma..."

"Ma è forestiero," continuò Angelo, "e i forestieri, si sa, hanno abitudini diverse... forse ai loro paesi le cose vanno diversamente... certo qui nessuno può soffrirlo."

"Perché?"

"Eh, tante cose," Angelo sorrise di nuovo scuotendo il capo. Il suo sorriso era impacciato e malizioso seppure pieno di antipatia per Antonio; come se quello che gli abitanti del luogo rimproveravano al barbiere fosse cosa non priva di un suo aspetto allegro.

"Quali cose per esempio?" interrogai.

Lo vidi farsi serio; e quindi rispondere con un'enfasi un po' untuosa: "Vede, signor Baldeschi, prima di tutto dà noia alle donne..."

"Davvero?"

"Uh... e come... lei non può avere idea... belle o brutte, vecchie o giovani, gli vanno tutte bene... e non soltanto alla bottega dove ci vanno per farsi arricciare i capelli... ma anche fuori... lo domandi a chi vuole... la domenica prende la bicicletta e va in giro per la campagna... come uno andrebbe a caccia... è un'indecenza... ma le dico che un giorno troverà qualcuno che lo farà smettere..." Ora varcato il limite della solita riserva, Angelo era diventato loquace, con un suo moralismo un po' melenso e adulatorio, proprio di contadino che parla un po' come immagina che piaccia al padrone che si parli.

Lo interruppi: "E la moglie?"

"La moglie, poveretta, che vuole che faccia?... piange, si dispera... lui le ha insegnato a far la barba ai clienti e ogni tanto le affida la bottega, prende la bicicletta e le dice che va in città... invece va in giro per qualche ragazza... si figuri che l'anno scorso..."

Capii che Angelo mi aveva fornito tutte le informazioni di cui avevo bisogno: ormai non potevo aspettarmi da lui che altri pettegolezzi sulla cattiva condotta di Antonio e mi pareva poco dignitoso provocarli e ascoltarli. Così cambiai discorso e dopo un poco lo mandai via.

Rimasto solo, caddi in una specie di distrazione riflessiva. Così mia moglie aveva avuto ragione o per lo meno c'erano delle forti probabilità che avesse avuto ragione. Così, quest'Antonio era un libertino e poteva anche darsi che avesse tentato davvero di sedurre mia moglie. Ora mi rendevo conto che il mistero di Antonio che non pareva appassionato per il suo lavoro, né soverchiamente amante della famiglia, né interessato alla politica, non esisteva. Non c'era alcun mistero e questo era tutto il mistero. Antonio era un Casanova da strapazzo, un erotomane qualsiasi. E quei suoi modi oliati e discreti erano i modi di chi, come egli si era espresso, era amato dalle donne perché non parlava.

Provavo una strana sensazione, come di delusione. In fondo, quasi senza rendermene conto, avevo sperato che Antonio non si sgonfiasse così presto e così facilmente. Antonio mi era piaciuto appunto perché, ora me ne accorgevo, c'era in lui, o almeno mi era sembrato che ci fosse, qualche cosa di misterioso. Dissipato il mistero, restava un poveruomo che dava noia alle donne, a tutte le donne, ivi comprese, forse, quelle come mia moglie che erano del tutto fuori delle sue possibilità. C'era qualche cosa di irritante in questa scoperta della molla segreta del barbiere. Prima avrei potuto anche odiarlo, ove mi fossi lasciato contagiare dal risentimento di Leda. Ora invece, che sapevo tutto di lui, mi pareva di provare soltanto una compassione mischiata di disprezzo: sentimento umiliante non soltanto per lui ma anche per me che mi vedevo ad un tratto abbassato ad una mortificante rivalità con un don Giovanni da villaggio.

Ma tuttora, strano a dirsi, persisteva in me la convinzione che egli non avesse veramente osato alzare gli occhi su mia moglie; e che, come avevo supposto in principio, fosse stato portato suo malgrado a palesarle a suo modo la propria ammirazione. Il fatto che fosse un libertino non mi sembrava distruggere questa supposizione; anzi mi pareva che spiegasse la facilità con la quale egli si era turbato al primo fortuito contatto; facilità comprensibile in un adolescente dai sensi sempre in agguato, ma improbabile in un uomo di quarant'anni ormai esperto e raffreddato. Soltanto un libertino, avvezzo a coltivare certi istinti e soltanto quelli, poteva avere una sensibilità così pronta e così irresistibile.

Giungevo fino ad ammettere che tutto sommato non gli fosse troppo dispiaciuto di trovarsi in quell'imbarazzo e che l'avesse al tempo stesso favorito e combattuto. Ma mi pareva indubitabile che al principio ci fosse stato non la volontà ma il caso.

È possibile che questa inclinazione a ritenere Antonio inizialmente innocente (ma tuttora lo ritengo tale), derivasse almeno in parte dal mio egoismo, ossia dal timore di avere a licenziarlo e farmi la barba da solo. Ma anche se questo era vero, io certo non me ne resi conto. Pensavo con obbiettività estrema all'intera faccenda e spesso nulla come l'obbiettività ossia la dimenticanza dei nessi che corrono tra gli oggetti e i motivi subbiettivi, favorisce l'inganno. Si aggiunga alla convinzione dell'innocenza di Antonio e al sentimento di sprezzante commiserazione che nutrivo ormai per lui, la reazione eccessiva di mia moglie che, ove avessi anche immaginato di potere essere geloso, distruggeva in partenza ogni motivo di gelosia. Del resto io non sono geloso, o almeno non credo di esserlo. Ogni passione in me viene dissolta dagli acidi della riflessione: un modo come un altro di dominarla, distruggendone al tempo stesso la tirannide e la sofferenza.

Dopo la conversazione con Angelo, andai come il solito a passeggiare con mia moglie. Allora per la prima volta ebbi la sensazione precisa di ingannarla. Sentivo che avrei dovuto riferirle quanto avevo saputo circa Antonio; ma non volevo perché mi rendevo conto che sarebbe stato come riaccendere in lei, più forte che mai, quella prima furia che adesso pareva sopita. Incerto e pieno di rimorso, finalmente le dissi in un momento che pareva distratta: "Pensi forse ancora alla mancanza di rispetto di Antonio... Se proprio ci tieni, lo mando via..."

Credo che se me l'avesse chiesto, questa volta l'avrei accontentata. In fondo, il mio egoismo aveva ricevuto una scossa; e non domandavo che un incoraggiamento per compiacerla. La vidi trasalire: "Al barbiere... no, non ci penso affatto... a dire la verità me ne ero persino dimenticata."

"Ma se vuoi lo mando via," insistei incoraggiato da questa sua indifferenza che pareva sincera, con la sensazione di fare una proposta che non poteva non essere respinta.

"Ma io non lo voglio," ella disse, "non m'importa nulla... per me è veramente come se non fosse successo nulla."

"Sai, credevo..."

"È una cosa che riguarda te e soltanto te," ella concluse con aria riflessiva, "nel senso che tu solo ormai puoi risentire o non risentire fastidio della sua presenza..."

"A me, a dire la verità, non dà fastidio."

"E allora perché dovresti mandarlo via?"

Mi piacque questa sua ragionevolezza, sebbene avvertissi di nuovo non so che delusione. Ma era destino che in quel tempo la felicità dell'istinto creativo finalmente soddisfatto non mi facesse approfondire alcuna delle sensazioni che via via mi veniva fatto di provare. Il giorno dopo tornò Antonio e io stupii accorgendomi che quel suo fascino curioso, lungi dall'essere dissipato dalle informazioni di Angelo, era rimasto intatto. Insomma il mistero che avevo avvertito, quando non sapevo ancora nulla di lui, sussisteva anche adesso che credevo di saper tutto. Questo mistero era stato respinto indietro, in una zona meno accessibile, ecco tutto. Era, mi venne fatto di pensare, un po' come il mistero di tutte le cose, dalle grandi alle piccole: tutto si può spiegare salvo la loro esistenza.

IX

I giorni seguenti continuai a lavorare con un impeto e una facilità che parevano accrescersi a misura che mi avvicinavo alla fine del mio lavoro. Antonio continuava a venire ogni mattina e io, passato quel primo impaccio, lo consideravo di nuovo con intatta curiosità. Sentivo che tra me e lui c'era ormai un legame; avrei potuto spezzare fin da principio questo legame, licenziandolo come aveva suggerito mia moglie; ma non lo avevo fatto e ne era nato un nuovo rapporto tacito ma indubitabile. Mi è difficile spiegare la sensazione che mi ispirava questo rapporto. In principio tra me e Antonio c'era stato il rapporto che corre tra il superiore e l'inferiore; con l'accusa di mia moglie questo rapporto si era modificato: il superiore era anche il marito insidiato o che poteva credersi insidiato nel proprio onore, l'inferiore era anche colui che insidiava o che si poteva credere che insidiasse. Ma questi due rapporti erano pur sempre convenzionali, fondati com'erano il primo sulla fittizia dipendenza e autorità che conferisce la mercede pagata e ricevuta, il secondo sulla non meno fittizia obbligazione morale che impone il vincolo matrimoniale. Suggerendomi di sostituire Antonio, mia moglie in realtà mi aveva suggerito di accettare queste due convenzioni senza tenere conto dei dati effettivi e particolari della realtà. Io però avevo rifiutato il suo suggerimento e Antonio non era stato sostituito. Ora sentivo che, in seguito al mio rifiuto, si era formato tra me e lui un rapporto nuovo certamente molto più reale perché fondato sopra la situazione qual era e non quale avrebbe dovuto essere; soltanto questo rapporto non era classificabile né definibile e permetteva tutte le conseguenze. Capivo che avendo rifiutato di comportarmi come chiunque al mio posto, ossia da superiore e da marito, avevo aperto la via a tutte le possibilità, perché tutto dipendeva ormai dagli sviluppi che avrebbe assunto, fuori di ogni convenzione, la reale situazione in cui ci trovavamo. In sostanza intendevo che l'atteggiamento suggeritomi da mia moglie, per quanto convenzionale, era il solo da tenere se si voleva che la situazione conservasse una fisionomia riconoscibile. All'infuori di questo atteggiamento tutto era possibile e tutto si spappolava e si dissolveva. Quell'atteggiamento permetteva a ciascuno di noi di tenersi ad una parte ben nota e fissa; fuori di quell'atteggiamento le nostre figure si confondevano, si annebbiavano, diventavano intercambiabili. Queste riflessioni mi facevano capire l'utilità delle norme morali e delle convenzioni sociali, esterne certo, ma indispensabili al fine di fermare e ordinare il disordine naturale. D'altra parte, però, pensavo che una volta rifiutate norme normali e convenzioni sociali, questo disordine doveva tendere per forza a riposarsi e disporsi sul fondo di una necessità assoluta. In altri termini, esclusa la soluzione proposta da mia moglie ne restava un'altra che sarebbe stata dettata dalla natura stessa delle cose. Un po' come avviene ad un fiume che o si imbriglia tra dighe artificiali, oppure si lascia espandere secondo l'inclinazione e gli accidenti del terreno: in ambedue i casi, seppure in modi e con effetti diversi, formerà un suo letto nel quale scorrere verso il mare. Ma questa seconda soluzione, la più naturale e la più fatale, era ancora di là da venire e, come pensavo, forse non sarebbe mai venuta: Antonio avrebbe continuato a farmi la barba, io avrei finito il mio lavoro e, poi, mia moglie ed io saremmo partiti e io non avrei mai saputo quanto di vero ci era stato nelle accuse di mia moglie. Espongo queste mie riflessioni con ordine e lucidità. Ma in quei giorni, più che riflessioni erano vaghe sensazioni, come di un malessere di consapevolezza che fosse intervenuto là dove prima tutto era agevole e inconsapevole.

Qualcuno si meraviglierà forse che io pensassi o meglio sentissi in questo modo nel momento stesso che la faccenda era in corso e si sviluppava sotto i miei occhi e i miei più cari affetti erano o potevano sembrarmi minacciati. Ma voglio ripetere quanto ho già detto più volte: creavo o mi pareva di creare e tutto il resto mi era indifferente. Naturalmente non avevo cessato di amare mia moglie e di avere il senso naturale del mio onore; ma la creazione artistica, per uno strano miracolo, aveva tolto da queste cose il suggello pesante della necessità trasferendolo sopra le pagine del libro che andavo scrivendo. Se mia moglie invece di accusare Antonio di averle mancato di rispetto, mi avesse rivelato di averlo visto asciugare il rasoio sopra una pagina del mio racconto, io certamente non avrei speculato sulla sua ignoranza, sulla sua irresponsabilità: tosto l'avrei licenziato. Eppure una simile colpa era certo più comprensibile, giustificabile e perdonabile di quella che gli era stata imputata. Che cosa mi rendeva indifferente a ciò che aveva fatto con mia moglie e invece violentemente partecipante nel caso che avesse danneggiato il mio lavoro? Qui interveniva proprio il mistero che avevo avvertito dapprima in lui, che le rivelazioni di Angelo non avevano affatto dissipato e che, in verità, era piuttosto in me che in lui. Un mistero, per tutto dire, che si riproduce e sempre si riprodurrà ogni volta che si abbandona la superficie delle cose e si scende nel profondo.

Quanto a mia moglie, essa non veniva più a trovarmi come in passato mentre Antonio mi radeva, e, finché il barbiere non aveva lasciato la villa, suppongo che restasse chiusa nella propria camera. Questo suo atteggiamento in fondo mi annoiava perché rivelava che lei invece si teneva alla sua prima convenzionale reazione e non intendeva barattarla con una attitudine come la mia, ragionevole e speculativa. Non ricordo come né quando, le domandai perché mai non si facesse più vedere alla mattina. Ella mi rispose subito, senza irritazione, appena con una leggera impazienza: "Ma Silvio... davvero che qualche volta dubiterei della tua intelligenza... come vuoi che mi faccia vedere?... Quell'uomo non è stato punito per la sua insolenza... se mi facessi vedere potrebbe credere che io l'abbia perdonato o peggio... non facendomi vedere lascio intendere che ho preferito evitare lo scandalo e non parlartene."

Non so quale demone della sottigliezza mi spinse a rispondere: "Poteva anche pensare che non te ne fossi accorta... così invece è peggio... dài a vedere che te ne sei accorta e ciò nonostante non fai nulla e non mi fai far nulla."

"La sola cosa da fare," ella rispose con calma, "era mandarlo via quel giorno stesso."

X

Finalmente, una di quelle mattine, scrissi l'ultima parola in fondo all'ultima riga dell'ultima pagina e chiusi lo scartafaccio del racconto. Mi pareva di avere fatto un grandissimo sforzo e di aver lavorato non so quanto tempo: in realtà avevo buttato giù l'equivalente di un centinaio di pagine stampate e avevo lavorato poco più di una ventina di giorni. Tenendo lo scartafaccio tra le mani, mi avvicinai alla finestra e lo sfogliai macchinalmente: mi vennero le lagrime agli occhi, non sapevo se per la gioia o per lo sfinimento della fatica compiuta. In quel fascio di fogli, non potei fare a meno di pensare, era raccolto il meglio della mia vita, tutto ciò per cui d'ora in poi mi sarebbe sembrato che valesse la pena di vivere e di aver vissuto. Sfogliavo piano piano le carte e pur contemplandole, mi accorgevo che la vista mi si annebbiava e sentivo che le lagrime mi cadevano sulle mani. Poi vidi Antonio attraversare in bicicletta lo spiazzo e rimisi in fretta lo scartafaccio sulla scrivania e mi asciugai gli occhi.

Più tardi, partito Antonio, passai nella mia camera da letto e, pur vestendomi, presi, come ero solito, a pensare al lavoro già fatto. Gli altri giorni non pensavo che alle pagine scritte quella stessa mattina, ma quel giorno, per la prima volta, vagheggiai e accarezzai con la memoria il racconto intero, dall'inizio sino alla fine. Quello che ormai chiamavo dentro di me il mio capolavoro mi stava dinanzi, insomma, completo e perfetto e io potevo finalmente godere della sua interezza come si gode di un panorama dopo una lunga e faticosa salita durante la quale non si è potuto intravvederlo che a pezzi. Queste cose del resto si possono soltanto suggerire, non descrivere. Mi basti dire che mentre pensavo al racconto, il tempo mi pareva sospeso in una specie di rapimento e lo era infatti. Tutto ad un tratto la porta si aprì e mia moglie si affacciò sulla soglia: "Ma che fai?... è pronto... è già pronto da tre quarti d'ora."

Io stavo seduto sul letto, in vestaglia, e i miei vestiti erano tuttora sulla seggiola sulla quale li avevo disposti la sera avanti. Guardai l'orologio al polso: Antonio era partito alle dodici e tre quarti, circa. Erano le due. Io avevo passato un'ora e un quarto seduto sul letto, una calza infilata al piede e l'altra in mano. "Scusami," dissi trasalendo profondamente, "non so che cosa mi sia successo... vengo subito." Mi vestii in fretta e la raggiunsi a pianterreno.

Nel pomeriggio, sbollito quel primo entusiasmo, si posero le prime questioni. Io avevo deciso di leggere il racconto a mia moglie appena l'avessi finito. Di lei mi fidavo più che di me stesso e di qualsiasi critico. Come ho già detto, essa non era colta, era fuori della letteratura, non portava ai libri che l'interesse delle persone comuni le quali più che allo stile guardano ai fatti. Ma proprio per questi motivi, proprio perché sapevo che avrebbe giudicato un po' come giudica il pubblico più grosso, mi fidavo di lei. La sapevo viva, intelligente quanto bastava, piena di buon senso, incapace alla fine di ingannarsi seppure per motivi diversi da quelli dei letterati di professione. Il suo giudizio, come pensavo, non avrebbe potuto forse darmi l'idea del valore strettamente letterario del racconto, ma mi avrebbe certo permesso di capire se il libro era vivo o no. E dopo tutto, per qualsiasi libro, la prima questione da porre dovrebbe essere quella della sua complessiva vitalità. Ci sono libri imperfettissimi, malcostruiti, farraginosi, disordinati, ma vivi che leggiamo e leggeremo sempre, e ci sono libri invece perfetti in ogni particolare, ben architettati, ben composti, ordinati e levigati ma morti che gettiamo via con tutta la loro perfezione di cui non sappiamo che fare. Io ero giunto a questa convinzione dopo molti anni di letture e di esercizi critici. Dunque, per prima cosa, dovevo sapere se il mio libro era vivo; e nessuno meglio di mia moglie avrebbe potuto assicurarmene.

Debbo dire che mi accingevo a questa prova, che consideravo in certo modo suprema, con piena tranquillità d'animo. Sulle qualità letterarie del mio racconto avevo ancora molti dubbi, non avendolo riletto ed essendomi rimasta l'impressione di averlo scritto forse un po' in fretta. Ma sulla sua vitalità mi pareva che non ci potessero essere dubbi. Non erano forse caduti, a misura che avevo avanzato nella composizione, quei sentimenti scuoranti di sterilità, di difficoltà, di inadeguatezza, di approssimazione e di sofisticheria che tutta la mia vita mi avevano tormentato e alla fine fermato ogni volta che mi ero proposto di scrivere? Non avevo forse sentito, mentre scrivevo, rompersi nel mio petto come una specie di diaframma e ciò che esso conteneva non tanto scorrere tranquillamente a guisa di ruscello quanto erompere e dilagare come un'inondazione? Non avevo, insomma, sentito tutto il tempo che ciò che ero si rifletteva fedelmente in quanto andavo scrivendo e quanto scrivevo in ciò che ero? Altri e simili ragionamenti mi avevano tranquillizzato ormai circa gli effetti della lettura che intendevo fare a mia moglie.

Restavano alcune difficoltà pratiche. Il manoscritto, senza essere proprio imbrogliato, conteneva parecchie cancellature e aggiunte tra le righe che ne avrebbero forse reso confusa c ingrata la lettura. Poteva darsi che in questi punti avrei dovuto interrompermi e studiare la pagina per ritrovare il senso perduto, infrangendo così un incanto che avrei voluto ininterrotto e completo. Poteva ancora darsi che nella furia della prima stesura mi fossero sfuggiti alcuni particolari, alcune rifiniture. Dibattei il pro e il contro della lettura durante il pomeriggio, pur passeggiando con Leda e conversando di cose indifferenti. Alla fine decisi che mi conveniva posporre la lettura di una decina di giorni, durante i quali avrei copiato a macchina il manoscritto. Copiando, come sapevo, molte cose sarebbero andate a posto se erano fuori posto e molte altre, se mancavano, avrebbero potuto essere aggiunte. Lo stile si sarebbe poi raffermato, ogni sbavatura di espressione sarebbe stata eliminata. E poi, argomento decisivo, io mi sarei goduto ancora per dieci giorni il mio capolavoro, nell'intimità dell'inedito. Quest'ultima ragione mi convinse del tutto.

Avevo portato da Roma la macchina da scrivere: che era nuova o quasi, non avendoci io mai scritto che lettere di affari e qualche raro articolo. Era una macchina americana, del tipo più recente e migliore che si potesse trovare e questa sua eccellenza, nei tempi della mia sterilità, mi riempiva talvolta di amarezza. Pensavo che ero proprio uno di quegli scrittori ricchi e incapaci che posseggono tutto quello che ci vuole per scrivere il capodopera: denaro, tempo, sala da studio comoda e silenziosa, carta filigranata, penne stilografiche di marca, macchina da scrivere modernissima, tutto fuorché il genio. Il quale, lui, scende a benedire il taccuino da pochi soldi su cui un adolescente affamato scribacchia col lapis, secondo l'ispirazione più fuggitiva, poche righe ogni tanto in fondo ai caffè e alle latterie popolari. Ora, però, questo senso amaro di sterilità che mi ispiravano la mia bella macchina e tutte le altre comodità di cui disponevo, era scomparso. Ero ricco, ozioso, ma avevo creato; possedevo carta di lusso, studio, biblioteca, macchina da scrivere, ma avevo creato. Di tali superstizioni credo sia piena la vita degli uomini che creano; o che credono di creare.

Ma come andai a esaminare quello stesso pomeriggio la macchina per vedere se era a punto, scoprii che avevo dimenticato a Roma la carta da scrivere. Sapevo che non c'era da pensare di trovare questa carta nel borgo; e decisi di andare a comperarla in città. Lì si trovava una cartoleria in cui si rifornivano tutti gli uffici della contrada. Ma per quel giorno era escluso che potessi andarci, perché il calesse del mezzadro, solo mezzo di comunicazioni di cui disponessi, era già partito il mattino. Deliberai di andarci il giorno dopo. Quella stessa sera annunziai a mia moglie la mia gita dicendole che dovevo recarmi in città per acquisti ma senza specificare che cosa intendessi acquistare; e, pro forma, le proposi di accompagnarmi. Dico pro forma perché sapevo che nel calesse c'era poco posto e che lei non amava quel veicolo scomodo e lento. D'altra parte non mi dispiaceva che non venisse: ero tanto felice che la solitudine mi pareva preferibile alla compagnia. Come avevo preveduto, ella rifiutò, pur senza commentare in alcun modo il progetto della gita. Domandò dopo un momento: "A che ora sarai a casa?"

"Presto... ad ogni modo per colazione."

Ella tacque, quindi riprese casualmente: "Se viene il barbiere, che cosa si deve fare?"

Riflettei un momento e poi risposi: "Verrò di certo prima io... caso mai ritardassi, fatelo aspettare." Questa risposta era dettata dalla ripugnanza a servirmi dei barbieri della città, con i loro ferri adoperati con altri clienti. Antonio non portava seco nulla: tutti gli strumenti del mestiere glieli passavo io.

Ella non disse nulla e cambiammo discorso. Ora, finito il mio lavoro, sentivo che tornavo ad amare mia moglie come e più di prima. O meglio, l'avevo sempre amata, ma in quei venti giorni di lavoro, avevo per così dire sospeso l'espressione del mio amore. Eravamo seduti a tavola, nella piccola sala da pranzo. Leda, come era solita, era in vestito da sera, un abito bianco e prezioso, dal taglio lungo e diritto, scollato sul dorso, simile nei semplici panneggiamenti ad un peplo greco. Ella aveva intorno al collo, alle dita e ai lobi degli orecchi i suoi gioielli, tutti massicci e di gran valore. La lampada del paralume di pergamena, posata nel mezzo della tavola, le illuminava il volto con un riflesso dolce e dorato. Ella aveva tutto il viso sapientemente imbellettato; e aveva conservato l'acconciatura corta e ricciuta che le aveva fatto Antonio. Per la prima volta mi accorsi che il suo viso lungo e magro, non più racchiuso tra le lunghe ciocche sciolte dei capelli, aveva assunto un aspetto diverso da quello a cui ero avvezzo; più giovane, meno patetico, di una crudele e antica sensualità. Non più accarezzate e raddolcite dall'onda dei capelli, si svelavano l'obliquità irritata e immobile degli enormi occhi azzurri, la sensibilità delle narici aguzze, la grossezza sorridente della bocca. Pareva denudata e però più vera; in un'aria satiresca e arcaica che rammentava al tempo stesso le sculture primitive greche, fissate dalla frontalità in un'espressione ambigua e ironica e il profilo semita di una capra. Ad accrescere quest'aria, mia moglie, come il giorno dell'incidente di Antonio, aveva fissato sopra la tempia sinistra, sull'oro dei capelli, un mazzetto rosso di fiori freschi. Dissi guardandola: "Sai che i capelli come te li ha messi Antonio dopo tutto ti stanno molto bene?... me ne accorgo per la prima volta."

Ella parve impercettibilmente trasalire al nome del barbiere e abbassò gli occhi. Voltava con le lunghe dita il tappo di cristallo massiccio della bottiglia e tra le unghie aguzze e scarlatte, come di rubino, il tappo sfaccettato, nella luce della lampada, pareva un enorme diamante tempestato di luci fulgide. Disse lentamente: "L'idea di pettinarmi così non è di Antonio ma mia... Lui non fece che applicarla e male."

"E come ti è venuta in mente?"

"Li portavo così quando ero fanciulla, tanti anni fa," ella disse, "è una pettinatura che sta bene alle donne giovanissime, oppure," ella ebbe un leggero sorriso, "alle mature, come me."

"Macché matura, non dir sciocchezze... e quei fiori ti stanno proprio bene."

Entrò la cameriera e ci servimmo in silenzio. Poi, riuscita la cameriera, posai il coltello e la forchetta e le dissi: "Sembri un'altra... o meglio sei sempre tu, ma in un aspetto nuovo." Mi sentii improvvisamente molto turbato e aggiunsi in un soffio: "Sei molto bella, Leda... ogni tanto può anche darsi che me ne dimentichi... ma poi viene sempre il momento in cui mi accorgo di essere innamorato a morte di te."

Ella mangiava e non rispose; ma senza disdegno, anzi con una soddisfazione visibile nel fremito leggero delle narici e nella piega delle palpebre abbassate. Era la sua maniera di accogliere i complimenti che le erano graditi e io lo sapevo. Mi venne improvvisamente non so quale furore di amore. Le posi una mano sulla mano e mormorai: "Dammi un bacio."

Ella sollevò gli occhi, mi guardò, e domandò con semplicità, e forse senza ironia: "E il tuo lavoro è finito?"

Mentii: "No, ma non posso guardarti senza amarti e senza desiderare di baciarti... al diavolo il lavoro."

Così dicendo l'attiravo per un braccio facendola pencolare dalla mia parte. Ella resisteva, aggrottando le sopracciglia, con aria tentata e semiseria, e disse una volta, in tono amoroso: "Sei pazzo," quindi volgendosi improvvisamente mi diede il bacio che le chiedevo, con impeto breve e sincero. Ci baciammo in fretta e in furia, schiacciando con forza le nostre labbra le une contro le altre, come si baciano due fanciulli ingenui e ardenti che non sono ancora esperti d'amore, e sciupano il godimento con il tremore e l'impazienza. Ed io, in questo bacio sfuggevole, che piuttosto che raccogliere mi sembrò di strappare dalle labbra di mia moglie, mi parve davvero di essere tornato ragazzo, e di avere a temere la sorpresa di una madre severa e non quella imbarazzata e complice di una vecchia domestica devota. Subito dopo il bacio tornammo composti, proprio come due ragazzi, serena e tranquilla lei, un po' ansimante io. Ma la cameriera non venne; e io guardai mia moglie e allora mi venne fatto di ridere di me e di lei, e risi e le battei con una mano sulla mano. Ella domandò insospettita: "Perché ridi?"

Dissi: "Scusami... non rido di te... rido perché sono felice." Ella domandò, in tono di calma conversazione, mangiando, gli occhi bassi: "E che cos'è che ti fa esser felice?"

Questa volta non potei più resistere e dissi con ingenuità: "Per la prima volta in vita mia, ho tutto quanto desideravo e per giunta, ciò che è più raro, so di averlo..."

"Che cosa desideravi?"

Dissi: "Per anni e anni ho voluto amare una donna ed esserne riamato... ebbene oggi ti amo e, come credo, tu mi ami... per anni e anni ho aspirato a scrivere qualche cosa di durevole, di vivo, di poetico... oggi che ho finito il mio racconto, posso dire di avere ottenuto anche questo."

Avevo deciso di non parlare a mia moglie del racconto finché non avessi terminato di copiarlo. Ma la mia gioia era così forte che non avevo resistito. La sua reazione alla notizia mi sorprese, sebbene sapessi che ella mi amava e partecipava vivamente alla mia vita. "Hai finito," ella esclamò con una gioia lusinghiera perché sincera, "hai finito," e la sua voce echeggiava con una limpidezza che mi incantava, "oh, Silvio, e non mi avevi detto nulla."

"Non te lo avevo detto," spiegai, "perché sebbene abbia finito nel senso vero della parola, debbo ancora ricopiare a macchina il manoscritto... l'avrò veramente finito il giorno che avrò finito la copiatura."

"Non importa," ella disse con quella sua lusinghiera e perfetta spontaneità, "hai finito e questa è una grande giornata... bisogna che beviamo alla salute del tuo libro."

Ella era affettuosa, gentilmente e impetuosamente, e quei suoi occhi azzurri, così belli e così luminosi, mi contemplavano in una maniera seducente, come se avessero voluto accarezzarmi. Con mano un po' tremante, versai il vino nei nostri bicchieri. Quindi levammo i calici sopra la tavola. "Allora alla tua salute e al tuo libro," ella disse sottovoce, guardandomi. Io bevvi e la vidi bere e poi ella posò il bicchiere e si sporse verso di me tendendomi la bocca e questa volta ci baciammo davvero, con passione e a lungo, e soltanto dopo esserci baciati ci accorgemmo che la cameriera era entrata e ci guardava, addossata alla credenza, il vassoio in mano.

"Su, Anna, beva anche lei, è una grande giornata questa,"

disse mia moglie con quella naturalezza autoritaria ed elegante con la quale nel mondo sapeva risolvere le situazioni più imbarazzanti, "Silvio, versa da bere ad Anna... Su, Anna, beva alla salute del signor Silvio." La vecchia donna si schermiva, ridacchiando. "Se si tratta di bere alla salute..." disse poi; e, posato il vassoio sulla credenza, prese il bicchiere, lo levò in un goffo brindisi e bevve. Poi mia moglie, sempre con la stessa naturalezza, si servì e riprese a mangiare; continuando intanto a interrogarmi affettuosamente, semplicemente sul mio lavoro: "E questa volta sei proprio sicuro di aver fatto una bella cosa?"

"Sì," risposi, "per quanto si può essere sicuri in questo genere di cose... e io posso esserlo più di tanti altri perché sono anche un critico discreto... di questo almeno sono perfettamente sicuro."

"Sai... debbo dirti che sono molto contenta," ella riprese dopo un breve silenzio, posandomi la mano sulla mano e guardandomi. Io sollevai la mano e la baciai. Ero infinitamente grato a mia moglie dell'accoglienza che aveva fatto alla notizia della conclusione del mio lavoro e che, quale una pietra di paragone infallibile, mi aveva rivelato una volta di più l'oro schietto del sentimento che ella nutriva per me. Inoltre mi sentivo inebriato dalla sua gioia come se invece di lei, che sapevo ignorante e profana, quell'accoglienza me l'avesse fatta un critico dei più esigenti. Questa sensazione era giovanile e credo che tutti gli scrittori, anche i più smaliziati, la provano almeno una volta in vita loro, agli esordi, allorché si presentano timidi e speranzosi davanti al giudizio di un loro maggiore e più vecchio collega. Sollevato in quest'aria di gioia, scoprii ad un tratto che, senza che me ne accorgessi, avevamo finito di mangiare, ci eravamo levati da tavola, eravamo andati nel salotto e che mia moglie in piedi davanti a me versava il caffè nelle tazze.

Di quella notte non ricordo bene i particolari, come non si ricordano le facce delle persone e la loro espressione quando esplode un fulmine abbagliando tutti con il suo accecante fulgore. Rammento soltanto che ero eccitato, ilare, esaltato; e che parlavo del mio avvenire e del suo. Poi spiegavo come mi era venuto fatto di scrivere il racconto prendendo per argomento noi due e il nostro matrimonio, analizzavo il materiale di cui mi ero servito, le spiegavo i mutamenti e gli approfondimenti che vi avevo introdotto. Citavo anche altri libri famosi, facevo dei paragoni, rintracciavo precedenti, riallacciavo la mia opera ad una tradizione. Ogni tanto mi interrompevo per delle riflessioni laterali o degli aneddoti. Finalmente presi un libro, un'antologia apparsa proprio in quei giorni e lessi ad alta voce alcune poesie di autori moderni. Mia moglie sedeva sul canapè, bella ed elegante, le gambe accavallate e il piede calzato d'argento levato in aria, fumando e ascoltandomi e io mi rendevo conto che ella seguiva la mia dizione con lo stesso affetto, davvero inalterabile come l'oro, che mi aveva dimostrato con tanta spontaneità quando le avevo annunziato che avevo finito il racconto. Soli in quel salotto ottocentesco, tra tutti quei mobili antiquati e scricchiolanti, in quella villa isolata nel mezzo della campagna, godemmo, o almeno io godei, di un paio d'ore di incomparabile intimità. Poi proprio nel momento che chiudevo finalmente l'antologia, la luce si spense.

Non era raro che la luce in quella contrada venisse a mancare: era il tempo della raccolta delle ulive e la corrente veniva deviata ai frantoi. Al buio, andai alla portafinestra che dava sullo spiazzo e la spalancai. Lo spiazzo era bianco di luce lunare e dietro la cornice nera degli alberi, il plenilunio inargentava parimenti il cielo notturno. Rimasi fermo sulla soglia, cercando la luna e non trovandola. Poi, tutto a un tratto, voltandomi, la vidi che sorgeva rapidamente, dietro la montagna in cima alla quale stava l'antica città, prima non più che uno spicchio e poi, come sospinta in su da un moto irresistibile, sempre più larga e più tonda fino a librarsi intera, denso globo circonfuso di luce splendente in un cielo schiarito. I suoi raggi cadendo a picco sulle brune mura della città prestavano loro un rilievo poroso, freddo e solitario. Parevano dargli un'aria di intrepida attesa e di vigile guardia come nei tempi in cui si erano alzate veramente a difesa della città; e io mi obliai a guardare e a guardare la luna sospesa su di esse. Quindi, dal salotto, giunse la voce di mia moglie che era rimasta sul canapè: "Sarà ora di andare a letto, no? Sai che deve essere molto tardi?"

Era un invito forse soltanto a coricarsi per dormire. Ma io, nella mia esaltazione, pensai ad un richiamo amoroso e rientrai in fretta dicendo: "C'è una luna magnifica... perché non passeggiamo un poco?" Vidi mia moglie ubbidirmi senza dir parola venendomi incontro dall'oscurità del salotto e fui contento di questa sua complice docilità. Uscimmo insieme sullo spiazzo.

Il silenzio era profondo come avviene nelle notti di autunno quando tutti gli insetti estivi si sono taciuti ormai fino alla prossima estate. I due cani di gesso che guardavano alla villa dai margini dello spiazzo parevano suggerire anche loro questo silenzio, vivi nelle loro attitudini, quasi affettuosi, ma bianchi e muti. Ci avviammo per il viale di accesso, entrando sotto la volta bassa degli alberi. Come fummo in quell'ombra fitta, io girai un braccio intorno alla vita di Leda e sentii che ella vi si abbandonava indolentemente, elegantemente, senza sentimentalismo, come a un gesto previsto e già scontato. Così allacciati, prendemmo a camminare per il viale, tra le due file di alberi inclinati, che il chiarore lunare filtrando per l'arruffio del sottobosco, chiazzava qua e là per i tronchi e per il fogliame di ambigui, bianchi riflessi. Percorremmo tutto il viale e, a breve distanza dal cancello, prendemmo per un altro viale, tra due file di cipressi. Dietro i tronchi dei cipressi si intravvedeva la pianura illuminata e silenziosa e, in cima al viale, in un'aria vuota e argentea, si indovinava altra estensione campestre. Mia moglie si appoggiava al mio braccio e io potevo sentire, attraverso il vestito, la piega morbida del busto là dove s'innestava nella rotondità del fianco. Alla fine del viale girammo per un sentiero laterale che divide il parco dai campi. Il parco finiva naturalmente nella campagna: gli ultimi alberi inclinavano i loro rami, oltre il sentiero, sui filari dei vigneti. Poco più su, sopra un poggio, c'era il cascinale dei mezzadri, di cui già si intravvedeva la facciata rustica vivamente illuminata dalla luna. Il sentiero, sempre costeggiando il parco, passava sotto il cascinale, contornava un rialzo sul quale si trovava l'aia con tre pagliai, e poi si perdeva nella campagna. Camminavamo piano, avendo da un lato gli alberi del parco e dall'altro il pendio erboso del poggio. Passammo il cascinale, giungemmo sotto l'aia; allora levai gli occhi verso i tre pagliai: uno era intero, di paglia recente, di un giallore chiaro e brillante; l'altro bruno, di paglia più vecchia; del terzo non restava che uno spicchio, della forma di un timone, contro la pertica sbilenca che l'aveva sorretto. La luna, illuminandone e disegnandone le moli contro il fondo oscuro e vuoto della campagna, pareva isolare i tre pagliai sul poggio: la loro disposizione non casuale, quel loro aspetto monumentale, facevano dimenticare la loro vera natura e suggerivano l'idea di una destinazione misteriosa. Non potei fare a meno di pensare ai gruppi di enormi pietre ritte in circolo che i Druidi hanno lasciato un po' dappertutto per le pianure di Francia e d'Inghilterra. Dissi a mia moglie che quei tre pagliai ritti nel chiarore del plenilunio mi ricordavano i dolmen della Bretagna, e accompagnai questo paragone con qualche spiegazione sui riti pagani che si celebravano in quei tempi preistorici. Ora mi era venuta un'idea, o meglio un desiderio: salire con Leda sull'aia e possederla lì, sulla paglia, in terra, nella luce della luna. Così, in un degno teatro, avrei solennizzato al tempo stesso la fine del mio lavoro e il ritorno all'amore coniugale. Non dico che in questo desiderio non entrassero alcune reminiscenze letterarie, ma tant'è: ero un letterato ed era giusto che in me la letteratura si fondesse con gli impulsi più profondi e più veri. D'altra parte io avevo veramente voglia di Leda e l'idea di amarla all'aperto, in una notte di plenilunio, mi pareva naturalissima, quale avrebbe potuto venire in mente anche ad un uomo più semplice e meno colto di me.

XI

Le dissi che volevo salire sull'aia per guardare il panorama che di lassù si scopriva immenso; lei accettò e, sempre allacciati, ci arrampicammo per il pendio ripido, sull'erba che ci faceva sdrucciolare. Giunti sull'aia, restammo un momento fermi a contemplare il paesaggio. La pianura intera si distendeva a perdita d'occhio nella notte chiara, e la luna rivelava, in quel vasto pullulare, i filari d'alberi, le siepi, gli spazi vuoti dei campi, i vigneti. Qua e là lo splendore lunare si raccoglieva su qualche facciata di cascinale, inargentandola. All'orizzonte, la terra si staccava dal cielo sereno con una fila di monti neri. Un borbottio remoto, come di treno che procedesse nascosto tra le coltivazioni, scorreva attraverso la campagna addormentata e ne confermava la vastità e il silenzio.

Mia moglie guardava quasi stupita il paesaggio come se avesse voluto penetrare il segreto di quella serenità e di quel silenzio; e io passandole di nuovo un braccio intorno la vita incominciai a parlarle sottovoce additando ora un luogo ora un altro sulla pianura ed esaltando la bellezza della notte. Quindi, sempre discorrendo piano, la feci voltare verso il monte che si alzava alle nostre spalle, e le indicai le mura della città sulla cima. Parlando ci eravamo avvicinati ad uno dei pagliai: in terra c'era della paglia sparsa sulla quale di giorno giocavano i bambini del mezzadro. Ad un tratto l'abbracciai mormorandole: "Leda... qui, non è più bello che nella tua camera?" Intanto cercavo di abbatterla in terra.

Ella mi guardava, gli occhi azzurri e luminosi dilatati da una subita tentazione. Poi disse resistendo: "No... la paglia non è pulita... e poi tutte quelle punte... mi rovinerei il vestito."

"Che importa il vestito."

"Il tuo lavoro non è ancora finito," ella disse ad un tratto con un riso inaspettato e pieno di civetteria, "il giorno che l'avrai veramente finito, torneremo qui di notte... va bene?"

"No, non va bene, non ci sarà più la luna... Stanotte."

Ella disse dolcemente e pareva ancora esitante: "Lasciami, Silvio," e poi, tutto ad un tratto, si svincolò da me e corse via, giù per il poggio, ridendo. Era un riso fresco, fanciullesco, di una nervosità affettuosa in cui pareva tremare tuttora la tentazione che pocanzi le avevo letto negli occhi; e mi sembrò che mi ripagasse della sua ripulsa. Forse era meglio che fosse andata così, pensai rincorrendola, con un dolce rifiuto e un riso grazioso. Ella correva davanti a me, per il sentiero, tra il parco e i vigneti, la raggiunsi facilmente e la presi tra le braccia. Ma ormai mi sembrava che quel riso avesse saziato ogni mio desiderio; e, dopo averla baciata, ripresi a camminare al suo fianco, stringendola per mano. La luna stendeva davanti a noi le nostre due ombre separate, con le mani unite; e la castità di questo nostro ritorno mi pareva adesso più amorosa dell'amplesso al quale ella si era sottratta sull'aia. Percorremmo il viale, giungemmo sullo spiazzo. Nel frattempo la luce era tornata e la portafinestra del salotto ci apparve illuminata e accogliente. Entrammo in casa e salimmo direttamente al secondo piano. Per la scala ella mi precedeva e mai mi era sembrata così bella come in quel movimento di ascesa, morbido ed elegante, che metteva in mostra le forme del corpo. Sul pianerottolo ella disse ancora, in una sua maniera scherzosa e sensuale: "Allora finisci il tuo lavoro... e poi andremo insieme sull'aia." Io le baciai la mano e andai in camera mia. Poco dopo già dormivo.

La mattina dopo, la mia esaltazione, lungi dall'essere diminuita, era forse giunta al suo punto più alto. Mia moglie dormiva ancora quando salii sul calesse di Angelo e mi avviai verso la città. Angelo, come forse pensava che fosse suo dovere, mi parlava della situazione della campagna; e io lo lasciavo discorrere senza quasi ascoltarlo, tutto ai miei pensieri o meglio ai miei sentimenti. Il calesse percorse il viale in cui già scherzavano i primi raggi del sole mattutino, costeggiò il vecchio muro di cinta, quindi imboccò la strada maestra.

C'era l'aria mite, il dolce splendore dell'autunno; io mi guardavo intorno per la campagna già un po' spogliata e languida, tutta visibile e tutta distinguibile, fin nei colori più sfumati e nei particolari più tenui, in quella luce giusta, così diversa dal barbaglio divorante dell'estate, e non mi saziavo di osservare ogni cosa. Qui era una foglia rossa che a un soffio di vento si staccava da un ramo di vite; lì una rete mutevole di luci e di ombre leggere sopra un vecchio muro bruno, verde e grigio; più in là un'allodola che si levava dalla strada, quasi sotto gli zoccoli del cavallo, punteggiava lo spazio di voli brevi e poi andava a posarsi presso una zolla, in un campo brullo, e la zolla era stata rivoltata di fresco e serbava il lustro del colpo di vanga. C'erano delle macchie di verderame, di un azzurro velenoso, sui muri bianchi dei cascinali; c'era un musco giallo come l'oro sulle tegole annerite del tetto di una piccola chiesa che rassomigliava ad un granaio; c'erano delle grosse ghiande di un verde pallido tra le foglie più scure di una giovane quercia che si sporgeva da un campo sulla strada. Io godevo di questi e altri simili minimi particolari come se fossero stati ricchi di un significato ineffabile; e capivo che quello sguardo nuovo, innamorato delle cose, lo dovevo alla mia felicità, anch'essa ineffabile e tutta nuova.

Dopo aver corso un pezzo in pianura, la strada affrontò il pendio del monte con una salita dolce ma incessante. Il calesse si mise al passo. Guardai allora per la prima volta alle antiche mura ritte sulla cima del monte, brune ma con gli orli accesi di fulgore solare e mi sentii tutto ad un tratto invaso da un'esaltazione incontenibile, come se quelle mura fossero state la meta, finalmente visibile, non della breve gita di quel mattino ma di tutta la mia vita. Il calesse ascendeva piano e io per un momento, guardando alle mura, mi vidi non più com'ero, nodo di pensieri e di sentimenti confusi e fuggitivi, bensì fermo nel tempo, ammantato del carattere predestinato e misteriosamente semplice che la storia attribuisce ai suoi eroi. Così, con questo stesso sole, in una mattina come questa, per una strada simile, si erano mossi gli uomini grandi e consolanti che io ammiravo; e in questa constatazione mi pareva di trovare una conferma che io ero forse per diventare uno di questi uomini. Mi pareva di indovinarlo nell'intensità di quel momento mentre lo vivevo; essa mi sembrava il segno più chiaro del mio ingresso nella grandezza e nell'eternità. Mi sorpresi a mormorare: "Ventisette ottobre del millenovecentotrentasette," più volte, al ritmo duro e tenace e regolare degli zoccoli del cavallo che saliva, con la sensazione che il fascino prestigioso di quella data scandita in tutte le sue sillabe già contenesse una specie di presentimento.

Intanto eravamo giunti passo passo alla porta della città, di enormi massi etruschi sormontati da un sottile arco medievale. Il sole l'indorava, contadini spingendo un asino o portando ceste vi entravano precedendoci, ed era proprio un mattino come un altro, su quel monte come dappertutto. Passata la porta, la mia esaltazione cadde improvvisamente mentre il calesse saliva su per i selci di una ripida strada, tra due file di vecchie case. Giungemmo nella piazza della Signoria, io smontai raccomandando ad Angelo di trovarsi lì tra un'ora e me ne andai alla ricerca della carta. La bottega che avevo in mente era poco più su, sul Corso, e non faticai molto a trovarla. Ma con mia sorpresa scoprii che la cartoleria non era fornita di carta da macchina ma soltanto di fogli protocollo. Assai malcontento mi rassegnai a comperare un centinaio di questi fogli doppi pensando che li avrei tagliati dividendoli in due fogli singoli ciascuno. Con il mio rotolo sotto il braccio entrai nel caffè principale e bevvi un vermut, in piedi presso il banco: era un vecchio caffè, buio e polveroso, con poche bottiglie di dubbio aspetto sulle mensole del bar e nessun avventore sui divanetti rossi intorno le pareti. Uscii dal caffè, tornai in piazza, mi avvicinai al chiosco dei giornali, e, dopo avere esaminato a lungo le quattro o cinque tra riviste illustrate e fogli umoristici che vi stavano appiccati, comperai il giornale del mattino e andai a sedermi sul banco di pietra del palazzo della Signoria, sotto gli stemmi arricciolati delle famiglie estinte e gli anelli di ferro da legarci i cavalli. Ora mi pentivo di aver detto ad Angelo di tornare dopo un'ora, ma mi consolai pensando che Angelo aveva da fare e comunque avrei dovuto aspettarlo. La piazza asimmetrica, angusta, circondata da palazzi medievali, mezza al sole e mezza in ombra, era deserta, non essendo giorno di mercato: in un'ora e più che ci stetti non avrò visto passare più di una decina di persone di cui almeno la metà erano preti. Lessi tutto il giornale e mi accorsi che non ero del tutto scontento di aspettare, tanto il lavoro era finito e per quel mattino non avrei comunque iniziato la copiatura. Mi sentivo calmo e di umore normale e finito il giornale presi ad osservare il lavoro di numerosi artigiani che avevano le botteghe torno torno la piazza. Intanto il sole si alzava e l'ombra severa del palazzo della Signoria sui selci della piazza si restringeva ritirandosi. Cominciò a suonare non so dove a perdifiato una campanella come di convento; subito seguita dalle campane più gravi della torre della chiesa principale. Era mezzogiorno, la città intera parve ridestarsi, e gruppi di persone entrarono nella piazza. Allora mi mossi, percorsi lentamente tutto il Corso fino ai giardini pubblici, luogo solatio di incontri dove pensavo che avrei trovato Angelo. E lì era difatti, a discutere con alcuni contadini. Subito ci avviammo per la discesa.

Durante il ritorno, forse per la stanchezza, i miei pensieri assunsero un ritmo più razionale. Cominciai, ricordo, a pensare all'editore presso il quale avrei preferito pubblicare il libro, alla veste che avrei scelto, ai critici che ne avrebbero scritto, a chi sarebbe piaciuto e a chi dispiaciuto. Poi pensai a Leda e mi dissi che ero stato molto fortunato a trovarla, e forse per la prima volta da quando ci eravamo sposati mi albeggiò nella mente la fragilità del nostro legame. Quasi mi spaventai pensando che tutta la mia vita dipendeva dai sentimenti suoi per me e dai miei per lei, che tutto poteva cambiare e che avrei potuto perderla. A questo pensiero l'animo mi si agitò, in maniera angosciosa; e compresi, sentendomi mancare il respiro e tremare il cuore, quanto io fossi ormai legato a Leda e come non avrei più potuto fare a meno di lei. Mi resi conto che possedendola mi sentivo così ricco da pensare talvolta che avrei potuto vivere senza di lei; ma appena immaginavo di separarmi da lei, capivo che sarei stato invece il più sprovvisto, il più misero, il più derelitto degli uomini. E questa separazione poteva avvenire ogni giorno. Mi sentii improvvisamente annichilito e, sebbene il sole scottasse, agghiacciato dal capo ai piedi da un gelido tremore: gli occhi mi si empirono di lagrime e mi accorsi che impallidivo. Comandai quasi istericamente a Angelo di accelerare la corsa del cavallo: "Che diamine," dissi con stizza, "vogliamo forse arrivare stasera?" Per fortuna eravamo ormai in piano e il cavallo che sentiva la stalla staccò un trotto rapido. Presi a sorvegliare ansiosamente la strada con desiderio di giungere al più presto a casa e rivedere Leda e ritrovarla come l'avevo lasciata. Ecco il primo tratto della strada maestra in aperta campagna, ecco il secondo, dopo il ponte, ecco l'ultimo tratto lungo il muro di cinta del parco. Ecco il cancello ed ecco il viale. Lo spiazzo era pieno di sole e sulla soglia della portafinestra, come se mi avesse atteso lì da anni, vista quasi incredibile dopo tanta paura, stava Leda, vestita di chiaro, un libro in mano. Di lontano notai con gioia l'atteggiamento di attesa: evidentemente ella si era seduta a leggere nel salotto, lasciando aperta la portafinestra e al rumore delle ruote del calesse sulla ghiaia del viale si era subito affacciata per vedermi arrivare. Il calesse si fermò, balzai a terra e, salutatala, entrai in casa.

"È tardi," ella disse seguendomi, "il barbiere è qui da un pezzo... ti aspetta su."

Domandai: "Che ore sono?"

"L'una passata!"

"La colpa è stata di Angelo," dissi, "vado subito a farmi radere e torno subito."

Ella non disse nulla e uscì nel giardino. Io salii quattro a quattro la scala ed entrai nel salotto. Antonio mi attendeva in piedi presso la tavola sulla quale erano disposti i ferri e mi accolse con un buongiorno e un leggero inchino. Dissi con fretta impetuosa: "Presto, Antonio... è molto tardi... cerchi di far presto," e mi gettai sopra la poltrona.

Adesso mi accorgevo che avevo fretta soprattutto perché avevo fame. La mattina non avevo bevuto che un caffè, avevo lo stomaco vuoto e la testa vacillante e la fame mi dava una specie di irritabilità che mi si rivelò subito, appena Antonio, con la solita lentezza, cominciò a spiegare l'asciugamani e poi ad annodarlo intorno al collo. "Perché non si spiccia," pensai, "eppure gli ho detto che ho fretta... che il diavolo se lo porti." Quella compostezza dei gesti di Antonio che un tempo mi era tanto piaciuta, ora mi riusciva odiosa. Avrei voluto dirgli di far presto ma siccome l'avevo già detto mi resi conto che non potevo ripetermi e mi irritai di nuovo. Mentre, voltandomi le spalle, rimestava il pennello nella ciotola, lo seguivo con occhio impaziente e contavo i secondi. La fame e la fretta crescevano.

Dopo aver fatto ben bene schiumare il sapone, Antonio mi si accostò, il pennello in aria, e cominciò a insaponarmi. Era insuperabile nel far crescere sulla faccia al cliente tutta un'enorme massa di spuma densa e bianca; ma quel mattino questa sua bravura mi irritava. Ad ogni giro di pennello sulla mia guancia pensavo che fosse l'ultimo ma mi sbagliavo: raccolto a volo con la punta del pennello un bioccolo di schiuma che minacciava di cadere, Antonio ricominciava, sempre con lo stesso movimento regolare, a farmi crescere sul volto la saponata. Non so perché, l'idea di star disteso sulla poltrona, con tutta quella schiuma sulla faccia, mi dava un senso di ridicolo; e, peggio, quasi mi pareva che Antonio intendesse consapevolmente rendermi ridicolo.

Quest'ultimo sospetto era assurdo e lo respinsi subito; ma dà la misura di quanto fossi sconvolto dalla fame. Finalmente vedendo che il pennello non la smetteva più di avvolgersi sulle mie guance, esclamai con rabbia: "Ma le ho detto di far presto... e lei invece non finisce più di insaponarmi." Vidi Antonio lanciarmi una breve occhiata di quei suoi tondi occhi chiari e stupiti e poi senza dir nulla posare il pennello nella ciotola e prendere il rasoio.

Ma prima di voltarsi e dopo che avevo parlato, egli non poté fare a meno di dare un'ultima frullata alla schiuma sulla mia guancia destra. Notai questo gesto come un atto di disubbidienza che mi sembrò rasentasse l'insolenza e la mia irritazione crebbe.

Egli affilò un momento il rasoio sulla coramella quindi si chinò su di me e prese a radermi. Con la solita leggerezza e perizia tolse gran parte della schiuma dalla guancia destra, e poi si sporse per toglierla dalla sinistra. In così fare premette con il corpo contro il mio braccio e io, per la prima volta da quando mi radeva, avvertii questa pressione e nello stesso tempo non potei fare a meno di ricordarmi delle accuse di Leda. Non vi era dubbio, chinandosi su di me egli premeva il proprio corpo contro il mio braccio e la mia spalla e io provavo a questo contatto una ripugnanza forsennata. Sentivo la morbidezza del basso ventre che immaginavo peloso, muscoloso e sudato, avvolto in una biancheria di pulizia dubbia, e tutto ad un tratto mi pareva di capire attraverso questo mio ribrezzo quello di mia moglie. Era un ribrezzo di un genere particolare, quale ispira, appunto, un contatto promiscuo e sensuale che, pur essendo casuale, non può non destare, per il suo stesso carattere, il sospetto che sia volontario.

Aspettai un momento sperando che si scostasse. Ma egli non lo fece né poteva, e improvvisamente il ribrezzo poté più della prudenza. Con un vivo movimento mi spostai. Subito sentii il freddo del rasoio che mi tagliava la guancia.

Immediatamente, da non so dove, mi venne un furore di odio contro Antonio. Egli aveva subito sollevato il rasoio e mi guardava con meraviglia. Balzai in piedi portando la mano alla guancia dalla quale già spicciava il sangue e gridando: "Ma cosa fa? È matto?"

"Ma signor Baldeschi," egli disse, "lei si è mosso... con violenza..."

"Non è vero," urlai.

"Signor Baldeschi," egli insistette quasi supplichevolmente, con quella moderazione rispettosa accorata degli inferiori che si sanno dalla parte della ragione, "come vuole che la tagliassi se non si muoveva? Mi creda, lei si è mosso... ma non è nulla, aspetti." Egli andò alla tavola, stappò una boccetta, tolse da un pacco un batuffolo di ovatta, lo intinse nell'alcol.

Io gridai, fuori di me: "Come, non è nulla... un taglio lunghissimo," e strappatogli di mano il batuffolo, andai allo specchio. Il bruciore dell'alcol mise al colmo la mia esasperazione. "Non è nulla, eh," gridai gettando via con stizza intensa l'ovatta sporca di sangue. "Antonio, lei non sa quello che dice... e guardi... è meglio che se ne vada."

"Ma signor Baldeschi... il contropelo."

"Niente... se ne vada e non si faccia più vedere," gridai ancora, "non voglio più vederla, ha capito?"

"Ma signor Baldeschi..."

"Basta... se ne vada e non mi capiti più tra i piedi... mai più... se ne vada, ha capito?"

"Debbo venire domani?"

"Né domani né mai... basta, basta." Gridavo nel mezzo della stanza, l'asciugamani ancora annodato intorno al collo. Lo vidi fare allora un mezzo inchino, forse ironico, dicendo: "Come vuole lei," andare alla porta e scomparire.

Rimasto solo, la mia collera sbollì gradualmente. Mi tolsi l'asciugamani, mi asciugai la faccia della poca schiuma che vi era rimasta e mi guardai nello specchio. Antonio mi aveva tagliato quando ormai aveva già quasi finito di radermi e la barba, salvo il lungo taglio rosso, era a posto. Intinsi di nuovo un po' di ovatta nell'alcol e disinfettai ben bene la ferita. Intanto riflettevo sullo strano scatto che mi aveva fatto licenziare Antonio e comprendevo che il taglio non era stato che un pretesto. In realtà avevo voluto licenziarlo tutto il tempo; e alla prima occasione l'avevo fatto. Ma non mi sfuggì che l'avevo licenziato soltanto quando il licenziamento non mi portava più alcun danno; dopo, cioè, che avevo finito il racconto. Mi rendevo conto che di conseguenza non potevo presentare a Leda il licenziamento del barbiere come un omaggio alla sua volontà; perché, come avevo conservato Antonio, nonostante le sue accuse, per motivi egoistici, così adesso mi era disfatto di lui per gli stessi motivi. Mi venne a questo pensiero qualche rimorso; e per la prima volta capii che, senza forse rendermene conto, non mi ero comportato bene con mia moglie. Intanto mi vestivo e, come fui pronto, scesi a pianterreno.

Ella era già nella sala da pranzo, seduta a tavola. Mangiammo in silenzio per un poco e poi dissi: "Sai, ho mandato via Antonio... sul serio."

Ella domandò senza levare gli occhi dal piatto: "E adesso come farai per la barba?"

"Cercherò di radermi da me," risposi, "del resto per pochi giorni perché partiamo, no?... Oggi non so che gli ha preso, mi ha fatto un taglio lungo un dito... guarda." Ella levò gli occhi e considerò la ferita. Domandò poi con apprensione: "Ti sei disinfettato?"

"Sì..., e debbo dirti che il taglio non è stato che un pretesto... in realtà non potevo più soffrire Antonio... avevi ragione tu."

"E cioè?"

Capii che non potevo riferire le informazioni di Angelo se non posponendole nel tempo. Così mentii: "Stamani ho parlato di Antonio con Angelo... ho saputo che è un libertino sfrenato... pare che sia conosciutissimo in tutta la zona sotto quest'aspetto... dà noia a tutte le donne... allora ho pensato che potevi anche aver ragione... sebbene non sia ancora dimostrato che nel tuo caso abbia agito con intenzione... e ho approfittato del taglio per sbarazzarmi di lui."

Ella non disse nulla. Proseguii: "Strano, però... non si direbbe davvero... in verità non so cosa ci trovino le donne: calvo, giallo, grasso, basso... proprio non è un adone."

Ella domandò: "E poi hai trovato la carta in città?"

"Non proprio... ma ho trovato della carta protocollo... servirà lo stesso." Compresi che l'argomento di Antonio le dispiaceva e volentieri cambiai discorso, come lei stessa mi proponeva: "Oggi stesso comincerò a copiare... voglio copiare anche il pomeriggio e la sera... così finirò prima."

Ella taceva e mangiava compostamente. Parlai ancora un poco del mio libro e dei miei progetti, quindi dissi: "Questo libro lo dedicherò a te, senza il tuo amore non l'avrei mai scritto," e le presi la mano. Ella levò gli occhi e mi sorrise. Questa volta, la buona volontà che ogni tanto mi pareva di sorprendere nel suo atteggiamento verso di me, era così evidente che anche un cieco l'avrebbe notata. Rimasi interdetto, la sua mano nella mia, raggelato nel mio entusiasmo. Ella mi sorrideva proprio come sorride la madre al bambino che, in un momento in cui non abbia voglia di dargli retta, corra trafelato a dirle: "Mamma, quando sono grande voglio diventare generale." Poi ella disse: "E che dedica mi farai?"

Mentalmente tradussi: "e di che arma vuoi diventare generale?" E risposi con impaccio: "Oh molto semplice... per esempio: A Leda... oppure: a mia moglie... perché? Vorresti una dedica più lunga?"

"Oh no, dicevo così per dire."

Ella era veramente distratta. E io, ritirata la mano, caddi in un silenzio assorto, guardando attraverso la finestra agli alberi del parco. Pensavo che uno di noi avrebbe dovuto rompere quel silenzio, ma non avvenne nulla. Ella taceva, si sarebbe detto, in maniera definitiva, chiusa nei suoi pensieri e per niente desiderosa, a quanto sembrava, di uscirne. Per non mostrare il mio disappunto, volli scherzare e dissi: "Sai la dedica che fece un certo scrittore a sua moglie? A mia moglie, senza la cui assenza questo libro non avrebbe potuto mai essere scritto."

Ella sorrise appena e io soggiunsi in fretta: "Ma il nostro caso, però, è proprio il contrario... senza la tua presenza non avrei mai potuto scriverlo."

Questa volta ella non sorrise neppure. Non mi tenni più e dissi: "Ma se non ti fa piacere, non ci metterò alcuna dedica."

Doveva esserci nella mia voce un'amarezza evidente perché ella parve raccogliersi come in uno sforzo e, prendendomi di nuovo la mano, rispose: "Oh, Silvio, come puoi pensare che non mi faccia piacere?" Ma anche questa volta la buona volontà era evidente; proprio come di una madre a cui il bambino scoraggiato abbia detto: "Ma se non ti fa piacere, non diventerò generale," e che gli risponda: "Oh, no, io voglio che lo diventi... e che vinci tante battaglie." Capii che non c'era da cavarne nulla e mi riprese quell'irritazione che avevo provato con Antonio e che allora avevo attribuito alla fame. Mi levai bruscamente, dicendo: "Credo che Anna abbia già portato il caffè di fuori."

XII

Più tardi ella andò a riposarsi e io salii al salotto per cominciare a copiare. Collocai la macchina da scrivere sulla scrivania, l'aprii e misi in terra il coperchio. A destra della macchina posi il manoscritto, a sinistra i fogli bianchi e la carta carbone. Presi tre fogli, vi inserii due fogli di carta copiativa, li introdussi nella macchina e battei il titolo. Ma non avevo collocato bene la carta, e il titolo, come andai a vedere, era tutto da un lato, inoltre avevo dimenticato di scriverlo in maiuscolo. Tolsi i tre fogli e ne misi tre altri. Questa volta il titolo venne nel mezzo ma, ad un esame, scoprii che avevo messo la carta copiativa alla rovescia e che nelle copie il titolo era venuto scritto all'incontrario.

Nervosamente strappai via anche questi fogli e ne misi degli altri: questa volta feci due o tre errori che rendevano il titolo incomprensibile. Tutto ad un tratto mi venne quasi un senso di paura. Mi levai dalla scrivania e presi a girare per il salotto guardando alle vecchie stampe tedesche che ornavano le pareti: *Il castello di Kammersee, Panorama della città di Weimar, Temporale sul lago Starnberg, Cascate del Reno.* La casa era immersa in un profondo silenzio, le persiane erano accostate e nel salotto c'era una luce smorta che invitava al sonno. Pensai che ero stanco, che non mi conveniva affrontare in queste condizioni la copiatura e andai a stendermi sopra un sofà molto duro, nell'angolo più in ombra.

Allungai una mano su un tavolinetto carico di gingilli, lì accanto, e presi un taccuino rilegato in pelle rossa, col taglio dorato: era un vecchio *keepsake* del 1860. L'antico possessore vi aveva disegnato a penna su ogni pagina un piccolo paesaggio, molto simile, nello stile casalingo, alle stampe che avevo testé osservato. Sotto ogni paesaggio, in calligrafia corsiva inglese, riflessioni e sentenze in francese. Guardai i paesaggi uno per uno e lessi molte di quelle riflessioni oltremodo sentimentali e convenzionali. Intanto mi veniva il sonno. Riposai il taccuino sul tavolo e mi addormentai.

Dormii forse un'ora, nel sonno mi pareva ogni tanto di svegliarmi e vedevo la scrivania, la seggiola, la macchina e pensavo che avrei dovuto lavorare e provavo un senso amaro di impotenza. Finalmente, come ad un segnale, mi destai del tutto e balzai in piedi.

Il salotto era immerso nell'ombra, andai alla finestra, spalancai le imposte: il cielo era ancora luminoso ma il sole si era fatto obliquo ed entrava di sbieco per la finestra. Senza pensar nulla, sedetti alla scrivania e incominciai a copiare.

Battei meccanicamente un paio di pagine e poi alla terza mi interruppi e caddi in una profonda riflessione. In realtà non pensavo nulla, soltanto non mi riusciva di afferrare il senso delle parole che avevo scritto con tanta foga giorni addietro. Vedevo che erano parole, ma restavano parole e mi pareva che non avessero alcun peso, alcun significato. Erano vocaboli e non oggetti, vocaboli quali sono allineati nelle pagine dei dizionari, vocaboli e basta. In quel momento mia moglie si affacciò al salotto domandando se volevo prendere il tè. Accolsi questa proposta con sollievo, contento di essere distratto dal sentimento di distanza e di assurdità che provavo di fronte al mio manoscritto; e la seguii a pianterreno. Mia moglie era già vestita per la solita passeggiata e il tè era sulla tavola. Feci uno sforzo sopra me stesso e, in tono spigliato, presi a conversare mentre sorbivo il tè. Mia moglie adesso pareva meno distratta e preoccupata e questo mi faceva piacere. Dopo il tè, uscimmo dalla villa e ci avviammo per il viale verso il cancello.

Come ho già detto, non c'erano molte passeggiate in quella contrada: così prendemmo per un viottolo che conoscevamo bene, tra i campi. Io camminavo avanti e Leda mi seguiva. Il mio pensiero, come mi accorsi subito, era rimasto fisso a quel senso di distrazione e di incomprensibilità che mi aveva ispirato il mio manoscritto, ma mi sforzai, senza, a dire il vero, riuscirci che in parte, di ricacciare indietro questa preoccupazione e di parlare leggermente di cose indifferenti. Il viottolo serpeggiava tra i campi, secondo la disposizione dei poderi, collegando l'uno all'altro i cascinali. Ogni tanto confluiva in un'aia, davanti un casolare, poi riprendeva a girare tra due siepi oppure lungo il fossatello di qualche orto o il filare marginale di qualche vigneto. Nella luce eguale, chiara, brillante dell'autunno, la pianura intera si svelava fin dove lo sguardo poteva spingersi, di campo in campo, di coltivazione in coltivazione, bassa e luminosa, con qualche albero qua e là, scuro sullo sfondo del cielo sereno, illuminato per ogni foglia dal sole. Ad un ponticello a schiena d'asino che scavalcava un botro mi fermai a guardare la campagna e mia moglie mi passò avanti. Ricordo che indossava un vestito sportivo dal tessuto grigio punteggiato di macchie rosse, verdi, gialle e azzurre. Al primo sguardo che le lanciai di dietro mi spaventai perché improvvisamente mi sembrò che anche lei, come le parole del manoscritto, non fosse che un segno nello spazio. Dissi piano: "Leda," e mi parve di dire la cosa più assurda del mondo. Dissi ancora: "Mi chiamo Silvio Baldeschi e ho sposato una donna che si chiama Leda," e mi parve di non aver detto nulla. Mi venne ad un tratto in mente che avrei potuto uscire da quest'aria di irrealtà soltanto ricevendo o infliggendo un dolore: per esempio afferrando per i capelli mia moglie, gettandola in terra sui sassi aguzzi del sentiero, e ricevendo da lei in risposta un buon calcio nello stinco. Allo stesso modo forse mi sarei destato al valore del mio manoscritto strappandolo e gettandolo nel fuoco.

Queste riflessioni mi diedero un senso vivo di pazzia: dunque non era possibile afferrare l'esistenza di se stessi o degli altri se non attraverso il dolore. Ma mi consolai un poco pensando che se così era, se non soltanto ciò che avevo scritto ma anche mia moglie che sapevo di amare, mi sembrava incomprensibile, questo senso di assurdità allora non dipendeva dalla qualità del mio scritto bensì da me stesso.

Mia moglie cercava un luogo dove sedersi, ricerca difficile in una campagna come quella, tutta coltivata, dove ogni pianta era utile, ogni zolla sementata. Finalmente ci affacciammo ad una fenditura del terreno in fondo alla quale scorreva un torrentello chiamato, forse per il suo corso tortuoso, l'Esse. In quel punto le sponde erbose scendevano in dolce pendio e il torrente ristagnando in una minima conca formava uno specchio rotondo di acqua densa e verde, all'ombra di tre o quattro pioppi. Una lastra inclinata di cemento, metà sulla proda e metà nell'acqua, quale viene adoperata dalle donne per battervi e torcervi i panni, indicava nel luogo apparentemente solitario la presenza di un lavatoio. Ma tant'era, come disse Leda, lasciandosi cadere sull'erba, in quella campagna ogni cantuccio era messo a frutto e non c'era niente da fare.

Prendemmo a discorrere pianamente, in quel placarsi della luce e dei suoni che precede il tramonto. Mia moglie aveva strappato un filo d'erba e lo masticava; seduto poco più sotto di lei, io guardavo alle vaghe ombre dei pioppi riflesse nell'acqua vetrina del botro. Per un poco parlammo del luogo e della giornata, poi, su un minimo pretesto (le domandai se voleva che si andasse in montagna quell'inverno), ella venne a raccontare un episodio della sua vita passata, accaduto appunto due anni prima in un luogo di montagna. Il primo matrimonio di mia moglie, come ho già detto, era durato pochissimo e poi, per dieci anni, ella era vissuta sola e io non ignoravo che aveva avuto numerosi amanti. Io non nutrivo alcuna gelosia per questi uomini che mi avevano preceduto, e lei vedendomi indifferente, dapprima con prudenza e poi apertamente, aveva preso a parlarmi di loro. Perché lo facesse non saprei dire: forse per vanità, oppure, nella sua condizione presente tanto cambiata, per un resto di rimpianto di quella libertà senza freni. Non posso dire che questi racconti mi facessero piacere; quando meno me l'aspettavo, sentivo di trasalire, come per il riflesso involontario di una sensibilità che ignoravo di possedere. Non era, certo, gelosia, nemmeno, però, quella completa, ragionevole obbiettività che mi vantavo di essere in grado di dimostrare. Ma quel giorno, mentre masticando il suo filo d'erba, gli occhi dilatati e fissi non a me ma a qualche cosa che forse le pareva di vedere, mi raccontava una delle sue avventure, mi resi conto che questa volta il solito leggero malessere di queste sue rievocazioni mi riusciva gradito come un tonico corroborante a chi si senta venir meno. Mi ero seduto in preda ad uno sconfortante senso di irrealtà, ed ecco, quella sua voce calda e sensuale mi parlava di cose reali, avvenute realmente e per giunta avvenute a lei e spiacevoli a me. Ad altri, più sanguigni, quelle reminiscenze forse avrebbero acceso nel sangue un furore di odio; ma a me, così esangue, ridavano il senso di ciò che ero e di ciò che lei era per me. Certo io soffrivo a sentirla dire in tutte lettere come si era lasciata avvicinare da un uomo che le piaceva, come si era lasciata baciare, come avevano giaciuto insieme; ma questa sofferenza bastando appena a ridestare la mia languente vitalità, diventava quasi piacevole, perdeva il suo carattere nocivo e inutile. Era un veleno, forse, ma uno di quei veleni che a piccole dosi ridanno vita al paziente. Ella raccontava un'avventura che aveva avuto con un tenente degli alpini dai capelli rossi: "Mi trovavo in montagna di marzo e siccome la neve se ne era andata, salii ad un rifugio a duemila metri. Lassù non capitava mai nessuno, passavo le giornate sullo spiazzo davanti al rifugio, in una seggiola a sdraio, leggendo e prendendo il sole. Un giorno arrivò dalla valle un gruppo di alpini. Io stavo sullo spiazzo al solito, e loro presero a togliersi gli sci intorno a me, per entrare a bere qualche cosa nel rifugio. Tra di loro c'era un ufficiale giovane, rosso di capelli, tutto lentigginoso, con gli occhi azzurri. Era senza cappello e senza giubba, in camiciotto grigioverde e chinandosi per slacciarsi gli sci vidi che aveva una schiena robusta e giovanile, forte, ma snella alla vita. Poi risollevandosi mi guardò, io gli resi lo sguardo e tanto mi bastò. Mi venne una gran paura che non avesse capito mentre in realtà aveva capito benissimo, come vedrai. Ricordo che mi alzai e tutta sconvolta entrai nella sala di soggiorno del rifugio. Lui andò a conficcare gli sci nella neve e poi entrò dopo di me. I suoi compagni si erano già seduti ad una tavola e lui sedette con loro, le spalle alla finestra e la faccia alla sala. Andai al banco, ordinai un tè e mi misi al tavolo di fronte. Loro scherzavano, ridevano e io, come una matta, cercavo coi miei occhi i suoi. Più tardi disse che aveva notato la mia manovra; ma sul momento, vedendo che non si degnava neppure di uno sguardo, pensai che non si fosse accorto. Finalmente mi guardò e io allora per non correre alcun rischio, portai le dita alle labbra e gli lanciai un bacio, proprio come fanno le fanciulle. Lui vide il gesto ma non mi fece alcun segno di intesa e allora cominciai a temere di non piacergli. Come se avessi avuto caldo, mi tolsi la giubba, e, fingendo di voler tirar su la bretellina della sottoveste sotto la camicetta, mi denudai un poco la spalla. Ma subito dopo mi indispettii, uscii dalla sala e tornai alla seggiola a sdraio, sullo spiazzo. Loro rimasero ancora un pezzo a bere e poi uscirono anche loro, ripresero gli sci e se ne andarono. Io restai nella sdraio, ad aspettare, ancora malsicura. Il sole andò sotto e io continuavo ad aspettare, tutta intirizzita, ormai senza quasi più speranza. Ero proprio disperata quando eccolo spuntare dal pendio con gli sci. Io gli andai incontro, piena di gioia e lui disse: 'Ho dovuto inventare un sacco di scuse... non mi hanno creduto, ma poco importa.' Così disse, come se ci fossimo sempre conosciuti. Io non gli risposi nulla, ero tanto turbata che non avevo neppure la forza di parlare. Si tolse gli sci molto lentamente e io lo presi per mano e lo condussi direttamente nella mia camera al secondo piano. Pensa che non ho mai saputo come si chiamasse."

Ho trascritto il racconto con le sue stesse parole, brevi e dense. Ella non indugiava mai sulla parte sensuale di queste sue narrazioni; ma pareva suggerirla con i ricchi toni della voce e con una specie di partecipazione acre e carnale di tutta la persona. Si animava, diventava più bella. E quel giorno, come ebbe finito, mi parve di capire che c'era in lei una vitalità più forte di qualsiasi norma morale; alla quale io avevo bisogno di attingere anche se, come era il caso, avessi dovuto reprimere alcune reazioni della mia sensibilità. Per un momento non ero stato, insomma, il marito che ascolta con animo turbato le reminiscenze amorose della moglie, bensì la zolla di terra secca minacciata di disfarsi in polvere sulla quale cade alfine una pioggia benefica. Guardai a lei che masticava assorta il suo filo d'erba e mi accorsi con meraviglia che non provavo più quell'angoscioso senso di irrealtà.

XIII

Tornammo a casa lentamente e io ero calmo e felice di nuovo come nei giorni migliori e scherzavo e discorrevo con piena confidenza. Giungemmo a casa che era più tardi del solito e mia moglie salì direttamente al secondo piano per cambiarsi per la cena. Io misi un disco nel radiogrammofono, un quartetto di Mozart e sedetti nella poltrona. Mi sentivo in una disposizione d'animo lieta e distaccata. Allora come la musica fu giunta al minuetto, e incominciò il dialogo cerimonioso e patetico della danza, con quelle domande forti e sonore e quelle flebili e graziose risposte, mi venne fatto di pensare che c'era più che un tono maschile nelle domande e un tono femminile nelle risposte: c'erano due atteggiamenti ben definiti, uno attivo l'altro passivo, uno aggressivo e l'altro schivo, uno lusingato e l'altro lusingante. Pensai che le note suggerivano un rapporto inalterabile attraverso i tempi e poco importava se le due persone che si scontravano nella danza fossero di oggi o di due secoli addietro. Potevamo essere noi due, mia moglie ed io, e quella era la danza che danzavamo a nostro modo, come prima di noi, in tutti i tempi, innumerevoli coppie l'avevano danzata. Perduto in questi pensieri, il tempo passò, e quasi mi stupii vedendo Leda apparirmi davanti, nel vestito scollato della sera avanti. Ella fermò il radiogrammofono a metà del disco dicendo con aria leggermente impaziente: "Non so perché stasera non ho voglia di sentire musica." Quindi, sedutasi presso di me, sul bracciolo della poltrona, mi domandò con voce casuale: "Allora stasera comincerai a copiare il tuo racconto?"

Pur facendo questa domanda, si guardava nello specchio

della borsa e aggiustava il mazzetto di fiori freschi tra i capelli. Risposi con soddisfazione: "Sì, stasera comincerò a copiare e lavorerò almeno fino a mezzanotte... voglio darci dentro e aver finito tra pochi giorni."

Ella disse ritoccandosi i capelli: "Fino a mezzanotte? Non ti verrà sonno?"

"Perché?" risposi. "Sono avvezzo a lavorare di notte... voglio," conclusi girandole un braccio intorno alla vita, "finir presto per potermi dedicare completamente a te."

Ella rimise lo specchio nella borsa e domandò: "Perché? Ti pare che non stiamo abbastanza insieme?"

Risposi in tono allusivo: "Non nel senso che vorrei."

Ella disse: "Ah, capisco." E, levatasi dalla poltrona, prese a camminare in su e in giù per il salotto con un moto impaziente e instancabile. Le domandai: "Che hai?"

Ella rispose: "Ho fame... ecco quello che ho," con una specie di durezza e di irritazione. Soggiunse in tono più mite: "E tu non hai fame?"

"Così così," risposi, "e poi non voglio mangiar troppo perché altrimenti dopo mi vien sonno."

Ella disse: "Ti amministri," e io trasalii perché era una frase spiacevole e non ci ero preparato. Domandai dolcemente: "Che cosa intendi dire?"

Ella capì che mi aveva offeso e si fermò davanti a me e mi fece una carezza dicendo: "Scusami... quando si ha fame si diventa aggressivi... non curarti di me."

"È vero," dissi ricordandomi dell'incidente di Antonio, "la fame rende irritabili."

"Piuttosto," ella riprese in fretta, "ti piace questo vestito?"

Forse me lo chiedeva per cambiar discorso; perché, come ho detto, era il vestito della sera avanti e l'avevo già visto parecchie volte. Dissi tuttavia con indulgenza: "Sì, è bello e ti sta molto bene... voltati, per piacere."

Ella si girò docilmente per farsi vedere; e io allora notai un piccolo cambiamento. La sera avanti, sotto il tessuto leggero e quasi trasparente, avevo notato tutt'intorno il ventre e i fianchi la presenza di una fascia elastica di seta e gomma, di marca americana, che ella talvolta si metteva per contenere il corpo nella linea giusta. Io non amavo questa fascia che, oltre a trasparire, suggeriva al tatto, così dura e tesa sotto il velo libero del vestito, quasi un senso ripugnante di apparecchio ortopedico. Ora quel giorno, come mi accorsi subito, la fascia non c'era; e infatti ella pareva più flessuosa e leggermente più grassa. "Non ti sei messa la pancera americana questa sera," dissi a caso.

Ella mi guardò e poi rispose con indifferenza: "Non l'ho messa perché mi dava fastidio... come hai fatto ad accorgertene?"

"Perché ieri l'avevi e si vedeva."

Ella non disse nulla e proprio in quel momento la cameriera venne ad avvertirci che la cena era pronta. Passammo nella sala da pranzo, ci sedemmo a tavola e mia moglie si servì. Notai allora che, contrariamente a quanto aveva detto dianzi, ella non pareva aver fame: dal vassoio non aveva preso che un mezzo cucchiaio della vivanda che conteneva. Osservai servendomi a mia volta: "Avevi tanta fame... e ora invece non tocchi cibo."

Ella mi guardò con aria scontenta, come se fosse stata irritata che io l'avessi colta in contraddizione. Disse: "Mi ero sbagliata... in realtà non ho fame affatto... anzi il cibo mi dà un senso di nausea."

Domandai sollecitamente: "Non ti senti bene?"

Ella esitò, quindi rispose, in un soffio, con voce bassissima: "No... credo che sto bene... ma non ho fame." Notai che la voce era languente e quasi, tra una sillaba e l'altra, pareva che il respiro le mancasse. Ella tacque, spelluzzicando con la forchetta nel piatto, poi posò la forchetta e sospirò profondamente, portando una mano al petto. Dissi allarmato: "Ma tu non ti senti bene."

Questa volta ammise: "Sì... mi sento un poco oppressa," con voce spenta, come se fosse stata per svenire.

"Vuoi stenderti sul divano?"

"No."

"Vuoi che chiami la cameriera?"

"No, dammi da bere, piuttosto."

Le versai del vino, lo bevve e parve rinfrancata. La cameriera portò la frutta e lei non la toccò e io mangiai un grappolo d'uva, lentamente, sotto i suoi occhi che parevano contare ogni acino che portavo alla bocca. Come mi cadde di mano il raspo sguarnito, ella si levò in piedi impetuosamente dicendo: "Ora vado a coricarmi."

“Non vuoi prendere il caffè?” domandai allarmato da quella sua voce forte e piena di malessere, seguendola nel salotto.

“No, niente caffè, voglio dormire.” Parlava presso la porta, le dita sulla maniglia, rigida e impaziente.

Dissi alla cameriera di portarmi il caffè nel salotto al secondo piano e mi avviai dietro di lei che già aveva aperto la porta e si dirigeva verso la scala. La raggiunsi e dissi a caso: “Ora mi metterò a lavorare.”

“E io dormirò,” ella rispose senza voltarsi.

“Ma sei sicura di non aver la febbre?” domandai cercando di passarle una mano sulla fronte. Ella si schermì e poi rispose con insofferenza: “Ma Silvio, con te bisogna sempre mettere i punti sugli i... non sto bene, ecco tutto.”

Tacqui un po' imbarazzato. Sul pianerottolo le presi la mano, come per baciargliela, esitai e quindi dissi: “Vorrei da te un piacere.”

“Quale piacere?” ella domandò con uno scatto nella voce che mi sorprese.

“Vorrei,” dissi impacciato, “che tu entrassi qui un momento e mi mettessi un bacio sulla prima pagina del racconto... mi porterà fortuna.”

Ella ebbe un riso affettuoso e sforzato; ma così l'affetto come lo sforzo mi sembrarono stranamente sinceri. Ed entrò con impeto nel salotto esclamando: “Come sei superstizioso... che sciocco sei... ma come vuoi.”

Io accesi la luce ma lei al buio si era già spinta fino alla scrivania. “Qual è il foglio... dimmi qual è il foglio che debbo baciare,” ripeteva con un suo zelo frettoloso.

Mi avvicinai, e le porsi il frontespizio sul quale non avevo copiato che il titolo: *L'amore coniugale*. Ella afferrò il foglio, lesse ad alta voce il titolo facendo una smorfia a commento che non compresi, quindi portò il foglio alla bocca e ci premette le labbra. “Sei contento ora?”

Proprio sotto il titolo, il foglio portava adesso la traccia delle sue labbra: due semicerchi rossi, simili a due petali di fiore. Io lo guardai a lungo, con compiacimento, e poi dissi con dolcezza. “Grazie, cara.”

Ella levò una mano, mi fece una rapida carezza alla guancia, poi si mosse verso la porta dicendo in fretta: “Allora buon lavoro... io vado a dormire... mi sento veramente molto stanca... ti prego di non bussare per alcun motivo... voglio dormire e basta... A domani."

"A domani."

Ella uscì quasi scontrandosi con la cameriera che entrava portando il caffè. Partita la donna, accesi una sigaretta, sedetti alla scrivania, bevvi una dopo l'altra due tazze di caffè e alfine scoperchiai la macchina da scrivere. Mi sentivo una lucidità di mente incomparabile, come se nella mia testa, invece del solito confuso e pesante groviglio di riflessioni casuali e contraddittorie, ci fosse stato un meccanismo pulito ed esatto, perfettamente a punto, simile a quello di una bilancia o di un orologio. Questo meccanismo, lo sentivo, escludeva ogni intervento della vanità, dell'amor proprio, della paura e dell'ambizione. Esso era lo strumento di precisione, incorruttibile e impersonale, col quale mi apprestavo a calibrare, valutare e perfezionare la mia opera via via che l'avessi copiata. La sigaretta tra le labbra, gli occhi appuntati sul foglio, presi a battere, continuando la pagina già scritta a metà.

Copiai forse quattro righe, quindi posai la sigaretta nel portacenere, scostai la macchina, presi il manoscritto e incominciai a leggerlo. Ho detto che mi sentivo eccezionalmente lucido; ora, copiando le prime quattro righe, distinto e in tutto simile al suono fesso di un cristallo incrinato, avevo avvertito un senso di falsità. In altri termini: mi era balenato nella mente che il racconto non soltanto non fosse il capolavoro che avevo immaginato, ma fosse brutto. Come ho già accennato posseggo una certa esperienza letteraria e, in determinate circostanze, so anche essere un critico discreto. Mi accorsi allora che in quella straordinaria e aggressiva lucidità di mente, tutta la mia facoltà di giudizio giocava a meraviglia sulla pagina. Le parole non erano più parole bensì frammenti di un metallo che io via via saggiavo con perfetta sicurezza per mezzo della pietra di paragone del mio gusto. Non leggevo di seguito perché non volevo restar preso dal ritmo della narrazione, ma qua e là, e più leggevo più cresceva la mia inquietudine. Mi pareva impossibile di sbagliarmi ormai: il racconto era veramente brutto, senza rimedio. Ad un tratto, invaso da una smania di obbiettività quasi scientifica, presi un foglio di carta bianca, impugnai la penna stilografica e incominciai a buttar giù le mie osservazioni via via che mi si presentavano alla mente, come quando leggevo qualche libro da recensire.

In capo al foglio scrissi con calligrafia sicura: "Osservazioni sul racconto *L'amore coniugale*, di Silvio Baldeschi", tirai una riga e poi incominciai ad annotare. Seguii il metodo che adottavo di solito quando componevo i miei articoli critici; ossia analizzando sparsamente l'opera in tutti i suoi diversi aspetti e riserbandomi di fondere alla fine tutte quelle osservazioni particolari in un solo giudizio complessivo. Naturalmente io non volevo scrivere un articolo su me stesso bensì in certo modo motivare la prima sensazione che il racconto fosse brutto. E anche, forse, punirmi per aver creduto al capolavoro. Ma soprattutto giungere ad una chiarificazione definitiva circa le mie ambizioni letterarie.

XIV

Ecco quanto scrissi sul primo foglio. Primo: stile. E poi sotto, rapidamente: pulito, corretto, decoroso ma mai originale, mai personale, mai nuovo. Generico, diffuso dove dovrebbe essere breve, breve dove dovrebbe essere diffuso, in fondo tutto superfluo perché tutto di applicazione. Uno stile senza carattere, lo stile di un componimento diligente in cui non vibri alcuna emozione poetica. Secondo: plasticità. nessuna. Dice le cose invece di rappresentarle, le scrive invece di dipingerle. Manca di evidenza, di volume, di concretezza. Terzo: personaggi. Nulli. Si sente che non sono stati creati per intuizione simpatica ma studiosamente copiati e trascritti dal vero con lo strumento, però, difettoso, di un giudizio vacillante, nebbioso ed embrionale. Sono mosaici di osservazioni minute ed esanimi, non creature vive e libere. Sbandano, si contraddicono, scompaiono a tratti dalla pagina non lasciando che il nome; e questo nome, si chiamino essi Paolo o Lorenzo o Elisa o Maria, fa la spia alla loro irrealtà perché si sente che potrebbe essere cambiato senza danno. Non sono personaggi, insomma, bensì fotografie sfocate. Quarto: verità psicologica. Scarsa. Troppa casistica, troppe sottigliezze, troppe osservazioni laterali, e troppo poco buonsenso. Psicologismo e non psicologia. Si sente che l'autore muove dall'esterno all'interno, a casaccio, non per la strada maestra della verità ma per i viottoli del sofisma. Quinto: sentimento. Freddo e raggrinzato, sotto enfiature e slanci e voli che tradiscono il vuoto e la velleità. Sentimentalismo e non sentimento. Sesto: intreccio. Mal costruito, sbilanciato, pieno di incongruenze, di ripieghi, di zeppe, di trucchi pur sotto l'apparente efficienza e levigatezza. Abbondanza di deus ex machina e di interventi dell'autore. Tutto si muove alla periferia, meccanicamente, perché al centro manca il motore. Settimo ed ultimo: giudizio complessivo. Il libro di un dilettante, ossia di una persona dotata bensì di intelligenza, di cultura e di gusto ma priva affatto di capacità creative. Il libro non rivela né cose nuove né un nuovo modo di sensibilità. È un libro scritto su altri libri, un risultato di secondo o di terzo grado, un prodotto di serra tropicale. Conclusione pratica: si può pubblicare? Sì, certamente, si può benissimo pubblicare, magari in edizione di lusso, con una o due litografie di qualche buon pittore, e può anche ottenere, dopo acconcia opera di propaganda nell'ambiente letterario, ciò che è chiamato di solito un successo di stima, ossia parecchi articoli persino elogiativi, persino entusiastici, secondo il tornaconto e i rapporti d'amicizia dei recensori con l'autore. *Ma il libro non conta.* Sottolineai quest'ultima frase in cui era condensato tutto quanto pensavo del mio racconto, riflettei un momento e quindi aggiunsi il seguente codicillo: sta di fatto, però, che il libro fu composto in uno stato d'animo di felicità perfetta e impetuosa e che è certamente il meglio che si possa aspettare dall'autore. Costui, infatti, scrivendo, era convinto di aver creato un capolavoro. Ne deriva che l'autore si è espresso nel libro qual è: un uomo privo di senso creativo, velleitario, intenzionale e sterile. Questo libro è lo specchio fedele di un tale uomo.

Questa volta era tutto. Rimisi il manoscritto nello scartafaccio, tolsi i fogli dalla macchina e la chiusi con il coperchio. Quindi mi alzai, accesi una sigaretta e presi a passeggiare in su e in giù per il salotto. Allora mi accorsi che quella perspicuità della mente, di cui mi ero prima tanto compiaciuto, adesso si era tramutata nella falsa lucidità di un febbrile, disperato delirio. Dopo avermi fatto scrivere quel severo giudizio sulla mia opera, quella lucidità permaneva nella mia mente come permane il chiarore lunare sulla superficie di un mare in tempesta in cui galleggino, grandi e piccoli, i rottami di un naufragio. Lucidamente, febbrilmente, il mio pensiero girava attorno al disastro definitivo delle mie ambizioni, illuminandolo in tutti i suoi aspetti, ossia rendendolo tanto più amaro e completo. In quei venti giorni durante i quali non avevo fatto che scrivere e avevo chiuso l'animo ad ogni altra preoccupazione, pareva essersi accumulata nella parte inferiore della mia coscienza una massa enorme di scoramento. Ora, rotte le dighe della mia folle presunzione, essa dirompeva d'ogni parte e io, pur così lucido, mi sentivo travolto. Gettai la sigaretta appena accesa e quasi senza accorgemene alzai le mani a stringermi le tempie. Comprendevo che il fallimento del libro adombrava quello più vasto della mia vita, e sentivo che tutta la mia persona si ribellava a questo risultato. È impossibile dire che cosa provassi: un senso acuto di sgretolamento precipitoso, di caduta a capofitto nell'assurdità e nel vuoto. Io mi ribellavo soprattutto all'immagine di me stesso che il libro mi forniva. Non volevo essere un velleitario, un incapace, un impotente. Eppure capivo che appunto perché mi ribellavo, questa immagine era vera.

In questo furore di disperazione mi pareva di non aver più peso e di muovermi per la stanza come volando, foglia morta e leggera portata via da un vento impetuoso. Non mi rendevo più conto non soltanto dei gesti che facevo, ma anche dei pensieri che formulavo. Probabilmente l'idea di ricorrere a mia moglie in quell'angoscia, al fine di trovare non tanto una consolazione quanto una paglia a cui afferrarmi nella piena che mi travolgeva, mi si affacciò alla mente prima di tradurla in azione. Ma è certo che io ne fui consapevole quando già, senza che me ne accorgessi, avevo aperto la porta del salotto, avevo attraversato il pianerottolo e mi trovavo davanti la sua porta. Levai la mano e bussai. Notai nello stesso tempo che l'uscio non era chiuso bensì soltanto accostato e mi colpì, non so perché, il carattere precauzionale di tale accostamento. Nessuno aveva risposto ai miei due colpi, bussai di nuovo più forte e, dopo un'attesa ragionevole, spinsi ed entrai.

La stanza era al buio, accesi la lampada centrale e, per prima cosa, in quella luce smorta, vidi sul letto intatto la camicia di mia moglie, stesa sulle coperte, le braccia aperte. Pensai che incapace di prender sonno fosse scesa nel parco; ma al tempo stesso non potei fare a meno di avvertire non sapevo che dispetto: poteva bussare e avvertirmi, perché andar sola? Gettai uno sguardo sulla sveglia posata sul comodino e mi meravigliai vedendo che circa tre ore erano passate da quando avevo fatto baciare a mia moglie il frontespizio del racconto. Mi era sembrato, tanto serrato era stato il seguito degli avvenimenti, che fosse passata appena mezz'ora. Uscii dalla camera e mi avviai giù per la scala.

La porta a vetri blu e rossi del salotto era illuminata, tutta la casa pareva sveglia. Entrai nel salotto, sicuro di averci a trovare mia moglie ma era deserto. Il libro che stava leggendo quei giorni era sul tavolo, rovesciato e aperto, come posato lì a metà della lettura. Accanto al libro un portacenere era pieno di mozziconi lunghi di sigarette, tutti sporchi di rossetto. Mia moglie certo era ridiscesa poco dopo avermi salutato e aveva passato la serata nel salotto fumando e leggendo. Poi doveva essere uscita a passeggiare nel parco; ma uscita da poco, perché l'aria era tuttora piena di fumo nonostante la portafinestra spalancata. Forse era uscita in quel momento stesso e potevo raggiungerla. Uscii a mia volta sullo spiazzo.

Il chiarore bianco della luna sulla ghiaia mi ricordò la nostra passeggiata della notte avanti al cascinale dei mezzadri; e tutto ad un tratto, in quella mia disperata esaltazione, mi venne il desiderio di fare adesso ciò che la notte avanti non mi era stato possibile. Avrei amato Leda sull'aia, in quel plenilunio magnifico, nel silenzio della campagna addormentata, con tutta la passione che mi derivava dal senso della mia impotenza. Era certamente un moto dell'animo molto naturale, molto logico, molto comune quello che mi suggeriva questo piano; ma questa volta fui contento di lasciarmi andare a sentire e ad agire come il contadino che cerca un conforto e una rivalsa al disastro di una grandinata nel docile amplesso coniugale. Dopo tutto, nella catastrofe della mia ambizione, non mi restava che accettare la mia condizione umana, in tutto simile a quella degli altri uomini. Dopo quella notte, avrei accettato di essere un brav'uomo versato in lettere e modestamente consapevole dei propri limiti ma amato e amante di una moglie bella e giovane. Avrei riportato su di lei la mia infelice passione per la poesia. Avrei vissuto poeticamente questa mia esperienza amorosa visto che non potevo scriverne. Le donne amano questi uomini falliti che hanno rinunziato a tutte le ambizioni eccetto quella di renderle felici.

In questo pensiero avevo imboccato il viale, camminando assorto, a testa bassa. Poi levai gli occhi e vidi Leda. O meglio la intravidi un momento solo, mentre, molto lontano, girava intorno la curva del viale e scompariva. In quel punto un raggio di luna si stendeva attraverso il viale. Per un attimo vidi distintamente la veste bianca, la scollatura e il biondo dei capelli. Poi scomparve e fui convinto che si dirigesse verso il cascinale. Mi piacque pensare che si recasse all'aia, dove volevo che ci amassimo, come ad un appuntamento, senza sapere che quell'appuntamento era con me. Girai a mia volta intorno la curva e la rividi mentre prendeva un viottolo laterale che, come sapevo, portava al sentiero che correva tra i campi e il parco. Mi venne fatto di chiamarla ma mi trattenni, pensando di raggiungerla e di abbracciarla di sorpresa.

Io ero nel viottolo che lei già entrava nel sentiero; e quando imboccai il sentiero, lei già camminava sotto il poggio sul quale sorgeva il cascinale. Correva quasi, e per la prima volta, la sua figura bianca in fuga tra le ombre nere degli alberi mi ispirò una sensazione di stranezza. Giunto a mia volta sotto il cascinale, mi fermai colpito da non sapevo che presentimento. Ora potevo vederla che si arrampicava sul pendio del poggio, verso l'aia sulla quale si ergevano le moli rotonde dei pagliai. Si aggrappava ai cespugli, protesa in avanti, scivolando e incespicando e nel viso teso e cupido dagli occhi dilatati, nel gesto del corpo, colsi di nuovo la rassomiglianza con una capra che si arrampichi per brucare. Quindi, come ella fu in cima alla salita, una figura d'uomo uscì dall'ombra, si chinò, la prese per un braccio e la tirò su quasi di peso. Girandosi per rimetterla in equilibrio l'uomo si voltò e riconobbi Antonio.

Questa volta compresi tutto, mi venne un gran freddo e insieme un grande stupore di non aver capito prima. Non poco fa quando ero entrato nella sua camera e l'avevo trovata vuota, ma venti giorni addietro quando mi aveva chiesto di licenziare il barbiere. Questo stupore riflessivo si confondeva con un malessere atroce che mi tagliava il fiato e mi opprimeva il cuore. Avrei voluto non guardare, se non altro per rispetto verso me stesso, e invece spalancavo gli occhi avidamente. L'aia era come una scena sospesa in alto e la luna l'illuminava. Vidi l'uomo, dopo che Leda si era rimessa in piedi, afferrarla per le braccia cercando di attirarla e lei torcersi e resistere, tirandosi indietro. La luna le illuminava il viso e allora vidi che era tutto sconvolto da quella muta e accesa smorfia che altre volte avevo già notato: la bocca semiaperta in uno sberleffo tra il ribrezzo e la voglia, gli occhi sbarrati e il mento in fuori. Intanto il corpo intero confermava la smorfia con una contorsione energica, come accennando ad una specie di danza.

Antonio cercava di attirarla e lei gli resisteva e si tirava indietro. Quindi, non so come, lei gli voltò le spalle e lui l'afferrò per i gomiti e lei si contorse di nuovo, dimenandosi con il dorso contro di lui, rovesciandosi tra le sue braccia e sempre tuttavia negandogli la bocca. Notai che, pur in queste contorsioni spasmodiche, ella si ergeva sulle punte dei piedi e mi tornò l'idea della danza. Per un poco continuarono a dimenarsi l'uno dietro l'altra e poi, cambiando posto, come in un minuetto di nuovo genere, ecco l'uno a fianco dell'altra. Lei gli attraversava il petto con il braccio, lui le cingeva i fianchi e lei si tirava indietro con il capo. Quindi scivolarono l'uno contro l'altra e furono daccapo l'uno di fronte l'altra. Questa volta lei si rovesciava indietro tra le braccia di lui con il petto e il capo, e nello stesso tempo sollevava la veste e scopriva le gambe e il ventre. Per la prima volta capii che quelle gambe erano gambe di ballerina, bianche, muscolose e magre, con i piedi tesi e poggiati sulle punte delle dita. Lei proiettava indietro il busto e tendeva avanti il ventre contro il ventre del compagno, lui stava fermo e cercava di raddrizzarla e abbracciarla. La luna li illuminava entrambi e pareva adesso che eseguissero davvero una specie di danza, lui ritto e immobile e lei ruotandogli intorno: una danza senza musica e senza regola ma non per questo meno ubbidiente ad un suo ritmo furioso. Finalmente lei gli fece perdere l'equilibrio o lui volle perderlo e precipitarono indietro, scomparendo insieme nell'ombra di uno dei pagliai.

XV

Quasi mi dispiacque di vederli scomparire. La luna splendeva tra i due pagliai in ombra, sull'aia vuota, là dove li avevo veduti danzare l'uno contro l'altro e per un momento pensai di non aver visto mia moglie e il barbiere bensì due genii notturni evocati dallo splendore lunare. Ero sconvolto da quanto avevo veduto ma mi sforzavo di padroneggiarmi e di essere obbiettivo, e in questo mi soccorreva il mio estetismo che per la prima volta sentivo cimentato ad una prova suprema. Ricordai che la notte prima il chiarore lunare sull'aia mi aveva suggerito l'idea di un amore panico, nella notte mite e tacita; e capii che avevo pensato e desiderato giusto. Soltanto, all'ultimo momento, qualcuno aveva preso il mio posto. Io avevo intuito la bellezza di quell'amplesso; ma l'amplesso era avvenuto senza di me.

Ma mi venne un sospetto improvviso che questo sforzo di obbiettività non fosse che un ripiego dell'amor proprio ferito; e mi dissi che potevo ragionare e comprendere quanto volevo, ma il fatto restava: io ero stato bruttamente tradito, mia moglie mi aveva tradito con un barbiere, il tradimento stava tra me e mia moglie. Provai a questo pensiero un dolore acuto; e mi resi conto che, per la prima volta da quando avevo veduto Leda tra le braccia di Antonio, io entravo nella mia parte obbligata di marito di donna adultera. Ma nello stesso tempo capii che non volevo né potevo restarci. Non ero stato sinora un marito come gli altri, i nostri rapporti erano stati quali li avevo voluti e non quali la nostra condizione di coniugi li aveva suggeriti e così dovevano rimanere. Io dovevo continuare a ragionare e soprattutto a comprendere. Era la mia vocazione e neppure il tradimento poteva giustificarne l'abbandono. Pur correndo verso la villa, presi a ricostruire con accanimento quanto era accaduto tra me, mia moglie e Antonio.

L'uomo certo, era un libertino, ma forse all'inizio non c'era stata veramente in lui alcuna intenzione; e il primo contatto con mia moglie era stato casuale. Parimenti lei era stata veramente e sinceramente indignata da quello che aveva chiamato mancanza di rispetto del barbiere; sebbene l'eccesso di questa indignazione nascondesse già allora un principio di turbamento e di attrazione inconsapevoli. In realtà, ella mi aveva chiesto di difenderla non contro Antonio bensì contro se stessa; ma io non avevo capito ed egoisticamente non avevo pensato che al mio immediato tornaconto. Lei non aveva penetrato l'egoismo della mia condotta, come non aveva capito i motivi profondi della propria e si era rassegnata, come era solita, per affetto e buona volontà. Aveva così sopportato che l'uomo che l'aveva insultata e verso il quale non sapeva di essere così violentemente attirata, venisse ogni giorno in casa. Così erano passati parecchi giorni: in una sospensione artificiosa dei nostri contrasti e delle nostre passioni; sospensione egoisticamente voluta da me per portare a termine il mio lavoro e che non aveva servito che ad acuire i contrasti e far maturare le passioni. Dopo venti giorni, il lavoro era finito ma anche mia moglie era giunta, forse senza rendersene conto, al punto estremo della sua torbida e oscura voglia. Allora era bastata la mia gita in città per farle scoprire la vera natura del suo primo sdegno contro il barbiere.

Antonio era venuto, non mi aveva trovato, in qualche modo si erano incontrati, sulla scala o nel salotto, forse lui le era saltato addosso o forse lei stessa aveva preso l'iniziativa. Comunque, c'era stata un'intesa repentina, totale, definitiva. A partire da quel momento la condotta di Leda aveva avuto l'inflessibilità, la velocità e il peso di una pietra che piombi attraverso lo spazio in fondo a un burrone. Con crudeltà forse non inconsapevole, ella aveva dato appuntamento ad Antonio in quello stesso luogo in cui la notte avanti avevo tentato di amarla. Partito Antonio, aveva agito con una determinazione fredda e brutale, senza scrupoli di delicatezza, di riguardo o anche di semplice buon gusto, proprio come potrebbe agire non una moglie tuttora amante del proprio marito ma una nemica. Si era assicurata che avrei lavorato quella notte quando fosse andata all'appuntamento, aveva giocato con me come il gatto con il topo con quel suo racconto dell'avventura dell'ufficiale degli alpini in cui era adombrato chiaramente il suo incontro della mattina con Antonio. Venuta la sera aveva avuto cura vestendosi, di non mettersi la fascia elastica americana, per essere più spedita, più nuda e più tentante. Mentre io mangiavo non aveva voluto nascondere la propria acre impazienza, disdegnando di ricorrere persino a quell'ipocrisia che in tali casi denota un omaggio se non alla virtù per lo meno alle buone maniere. C'era voluta tutta la mia cecità per non capire che la sua inappetenza era dovuta a quell'altro appetito tanto più soverchiante. Ma temendo che io prendessi troppo sul serio il suo preteso malessere e magari volessi tenerle compagnia nella camera, l'aveva spiegato cinicamente con il disturbo mensile. Mentre io mi chiudevo a scrivere nel salotto, era rimasta tre ore a pianterreno, fumando una sigaretta dopo l'altra, contando i minuti e i secondi. Venuta l'ora, era corsa all'appuntamento; e quella specie di danza cui avevo assistito non era stata che l'esplosione finale del meccanismo potente e troppo a lungo represso del suo desiderio.

Debbo dire a questo punto che in tutta la condotta di Leda riconoscevo la risolutezza ingannevole ed effimera delle azioni che erompono di colpo dai sotterranei della coscienza e poi ne vengono riassorbite come avviene ai fiumi nel deserto. Riconoscevo cioè l'impeto furioso ma di breve durata delle infrazioni involontarie ad una regola riconosciuta. Quanto era avvenuto tra lei e Antonio non intaccava minimamente il suo rapporto con me. La tresca col barbiere che, con ogni probabilità, non sarebbe sopravvissuta a quella notte, e i suoi legami con me, vecchi di un anno, erano due cose diverse, su due piani del tutto diversi. Ero sicuro che, se non avessi detto nulla, Leda avrebbe continuato ad amarmi come in passato e forse di più; e che lei stessa avrebbe provveduto a disfarsi di Antonio, il giorno dopo, se anche a quell'ora non l'aveva già fatto. Ma questa riflessione lungi dal consolarmi, come avrebbe dovuto, mi avvilì ancora di più. Era una prova di più della mia incapacità, velleità, impotenza. A me l'arte e mia moglie si concedevano per pietà, affetto, benevolenza, ragionata buona volontà; i frutti di questa concessione non sarebbero mai stati l'amore né la poesia, bensì la stenta e decorosa composizione, la tepida e casta felicità. Ad altri il capolavoro sul serio, la danza sull'aia. Io ero per sempre respinto nella mediocrità.

Intanto, sempre portato dal mio dolore come da un vento, avevo attraversato il parco, ero rientrato in casa, avevo salita la scala, ero tornato alla scrivania. Eccomi con la penna in mano davanti un foglio in cima al quale avevo scritto: carissima Leda. Era la lettera di definitivo commiato a mia moglie. Poi mi accorsi che piangevo.

Non so quanto piangessi, so soltanto che piangevo e scrivevo insieme e, a misura che scrivevo, le lagrime cadevano sulle parole e le cancellavano. Volevo dirle che tra noi tutto era finito e che era meglio che ci separassimo, ma pur pensando e scrivendo queste cose, provavo un dolore forte e come un rifiuto di tutto il corpo che pareva esprimersi in quel flusso ininterrotto di pianto. Mi accorgevo che ero attaccato a lei, che non m'importava nulla che mi avesse tradito e che alla fine non m'importava nulla neppure che ella si desse ad altri per amore e a me riserbasse il semplice affetto. A tratti mi rappresentavo la vita senza di lei e capivo che, dopo aver per tanti anni pensato al suicidio, questa volta mi sarei ucciso davvero. Tuttavia continuavo a scrivere e a piangere. Così finii la lettera e la firmai. Ma come feci per rileggerla, vidi che era tutta cancellata dalle lagrime e compresi che non avrei mai avuto il coraggio di consegnarla.

In quel momento ebbi la sensazione precisa della debolezza del mio carattere, fatto di impotenza, di morbosità e di egoismo, e, tutto in una sola volta, l'accettai. Intesi che dopo quella notte sarei stato un uomo molto più modesto e che, forse, se avessi voluto, avrei potuto se non proprio cambiarmi per lo meno correggermi, perché in quella sola notte avevo appreso su me stesso più che in tutti gli altri anni della mia vita. Questo pensiero mi calmò. Mi alzai dalla scrivania, andai nella mia camera e mi lavai gli occhi rossi e gonfi. Quindi tornai nel salotto e mi affacciai alla finestra sul piazzale.

Stetti fermo una decina di minuti, non pensando nulla e lasciando che il silenzio e la serenità della notte calmassero il tumulto del mio animo. Non pensavo più a Leda e fui sorpreso vedendola sbucare improvvisamente da un angolo dello spiazzo e correre verso la porta. Per correre più spedita, reggeva con le due mani il vestito troppo lungo; e vista così dall'alto, mentre si slanciava attraverso lo spiazzo illuminato dalla luna, mi fece pensare a qualche bestiola selvatica, una volpe o una faina, che, furtiva e innocente, il pelo ancora sporco di sangue si affrettasse alla tana dopo un'incursione in qualche pollaio. Questa sensazione fu così forte che quasi mi parve di vederla trasformata in bestia e avvertii per un momento quella sua innocenza come un carattere fisico, quasi come un odore selvatico. E mio malgrado, non potei fare a meno di sorridere con affetto. Poi, pur correndo, ella sollevò gli occhi verso di me che stavo affacciato. I nostri sguardi si incontrarono e mi parve di notare nei suoi il presentimento di una scena spiacevole. Ella riabbassò subito il capo ed entrò in casa. Lentamente mi ritirai dalla finestra e andai a sedermi sul canapè.

XVI

Di lì ad un momento la porta si aprì ed ella entrò con impeto. Riconobbi in quest'aggressività una difesa, e non potei fare a meno di sorridere di nuovo. Ella domandò, la mano ancora sulla porta: "Che fai, non lavori?"

Senza levare il capo risposi: "No."

"Ho fatto un giro per il parco, non riuscivo a dormire," ella disse fornendomi una spiegazione che non le avevo chiesto, "ma che hai?"

Intanto si era avvicinata alla scrivania. Ma chiaramente non osava venirmi più vicino. Ritta contro la scrivania, guardava alle carte sparse. Pronunziai con sforzo: "Stanotte ho fatto una scoperta definitiva... che avrà molta importanza nella mia vita."

La guardai. Tuttora in piedi presso la scrivania, appuntava gli occhi aggrottati e dilatati come dall'ira verso la macchina. Domandò con una voce forte: "Quale scoperta?"

Così ella si preparava a rispondermi per le rime, mi venne fatto di pensare. Il suo atteggiamento mi ricordò quello di certi insetti che nel pericolo si rizzano minacciosamente sulle zampe ed è chiamato dai naturalisti atteggiamento spettrale. Mi pareva già di udire la sua voce che gridava: "Sì, mi sono data al barbiere, mi piace il barbiere... ebbene ora lo sai e fai quello che vuoi." Sospirai e soggiunsi: "Ho scoperto, rileggendo il racconto, che non vale nulla e che non sarò mai uno scrittore."

La vidi restare ferma e silenziosa, come incredula di fronte a queste parole così diverse da quelle che si era aspettate. Poi esclamò, con un resto di violenza nella voce: "Ma che dici?"

"Dico la verità," risposi con calma, "mi illudevo... il racconto che mentre lo scrivevo mi sembrava un capolavoro, in realtà è un aborto... e io sono irrimediabilmente un uomo mediocre."

Ella si passò una mano sulla fronte e quindi venne lentamente a sedersi vicino a me. Era chiaro che si sforzava di entrare nella sua nuova parte, imprevista e difficile; e che stentava a farlo. Disse: "Ma Silvio, com'è possibile, eri così sicuro."

"Ora sono sicuro del contrario," risposi, "tanto che per un momento ho quasi pensato di uccidermi."

Così dicendo levai gli occhi e la guardai. E allora compresi che, tutto il tempo, pur parlando del mio racconto, avevo pensato a lei. Poco m'importava che il racconto fosse brutto, ormai; non potei invece reprimere un vivo moto di dolore osservando le tracce della tresca con Antonio, visibili in tutta la sua persona. I capelli erano scomposti, con riccioli disfatti e mi parve di vedervi perfino qualche pagliuzza rimasta impigliata. Il mazzetto di fiori non c'era più, doveva essere rimasto sull'aia. La bocca era pallida e scolorita ma con qualche sbavatura di rossetto qua e là che dava a tutto il viso un'aria strapazzata e stravolta. Il vestito, infine, era gualcito, e in corrispondenza del ginocchio, aveva una macchia fresca di terra, come prodotta da una caduta.

Compresi che ella sapeva di essere in questo stato e che aveva fatto apposta a presentarsi così. Altrimenti le sarebbe stato facile passare prima in camera, ripulirsi, truccarsi, disfarsi del vestito, indossare una vestaglia. A questo pensiero provai una nuova fitta di dolore, come di fronte ad una ostilità proterva e spietata. Intanto ella diceva: "Ucciderti? Ma sei pazzo... per un racconto che non è riuscito bene."

Io tradussi mentalmente: "Per un momento di smarrimento... perché non ho saputo resistere ad una tentazione passeggera." E dissi: "Per me questo racconto era molto importante... ora sono un uomo finito... ne ho la prova... in questo manoscritto," così dicendo feci un gesto brusco e quasi involontario non in direzione della scrivania sulla quale si trovava il manoscritto, ma verso lei.

Questa volta ella capì (o forse aveva già capito ma aveva sperato di ingannarmi) e abbassò gli occhi con una specie di confusione. Una mano che teneva in grembo scese verso il ginocchio a nascondere la macchia di terra. L'amore corporale strema, e certe finzioni traggono la loro efficacia dallo slancio fisico. In quel momento, impacciata dalla stanchezza dei sensi e dal disordine della persona, ella doveva certo trovare molto difficile riprendersi e recitare la sua solita parte di moglie affettuosa. Temetti qualche frase inabile e mi dissi che questa volta le avrei detto la verità. Poi udii la sua voce inaspettatamente trepida che domandava: "Perché finito? E non hai pensato a me?"

Per un momento indugiai sul sentimento di meraviglia che mi ispiravano queste parole. C'era nella sua domanda più che dell'audacia e della furbizia, ammirevoli forse ma soltanto come un tratto di prontezza insolita; c'era, o almeno così mi parve, una sincerità patetica. Le domandai a mia volta: "E cosa puoi farmi tu? Non puoi mica darmi il talento che mi manca."

"No," ella disse con una sua ragionevole ingenuità, "ma ti voglio bene."

Ella mi tendeva una mano, a cercare la mia, e intanto mi fissava con quei suoi occhi che parevano farsi più limpidi e più luminosi a misura che il suo sentimento per me si rinfrancava e dissipava il recente turbamento. Io presi la mano, la baciai e mi lasciai cadere in ginocchio davanti a lei. Dissi piano: "Anch'io ti voglio bene e ormai dovresti saperlo... ma ho paura che per vivere non mi basti."

Tenevo il viso contro quelle gambe che poc'anzi avevo veduto, nude, improvvisare sull'aia la danza del desiderio. E intanto rivolgevo in mente il significato delle sue parole. E mi pareva di capire questo: "Ho commesso un errore, travolta dal desiderio... ma ti voglio bene, e soltanto questo conta per me... sono pentita e non lo farò più."

Così tutto era come avevo preveduto. Ma adesso non mi sentivo più di respingere questo suo affetto, per quanto insufficiente. La udii dire: "Quando ti vengono queste disperazioni, cerca di pensare a me... dopo tutto ci vogliamo bene e questo ha la sua importanza." E risposi piano: "Pensare a te... e tu pensi a me?"

"Sempre."

Mi dissi che non mentiva. Probabilmente ella pensava sempre a me, aveva sempre pensato a me, anche quando, poco fa, si era lasciata prendere da Antonio sull'aia. Avrei potuto notare il lato ridicolo di questo suo pensiero di me, così costante e così inefficace, che non le aveva impedito di tradirmi e anzi, come avviene, aveva forse reso più allettante e sapido il tradimento. Ma preferii dirmi che ella pensava veramente a me tutto il tempo come si pensa ad una questione insoluta e purtuttavia viva che è il centro delle nostre preoccupazioni migliori. Un pensiero di buona volontà, forse, ma mi conveniva pensare che all'infuori della buona volontà tutto in lei era oscuro e torbido e la portava a disgregarsi in tentazioni del genere di quella che l'aveva gettata tra le braccia di Antonio. Così noi parlavamo un linguaggio diverso: io non davo alcuna importanza alla buona volontà, fatta di raziocinio e di buonsenso e ne attribuivo invece moltissima all'istinto, senza il quale mi pareva che non ci potesse essere né amore né arte: lei invece non apprezzava che questa buona volontà che doveva parerle la parte migliore di se stessa e respingeva l'istinto come errore e manchevolezza. Pensai che si ama sempre ciò che non si possiede: lei tutta torbido istinto doveva per forza venerare la chiara ragione mentre io tutto esangue ragione era giusto che fossi attirato dalla ricchezza dell'istinto. Mi sorpresi a mormorarmi: "E l'arte? Si può fare dell'arte con la buona volontà?"

Ella mi carezzava il capo e non udì certamente queste mie parole pronunziate a voce bassissima; ma, come se le avesse udite, riprese dopo un momento con voce spigliata, briosa, affettuosa: "Su, alzati... e sai cosa facciamo adesso... io vado di là... mi spoglio e mi metto in letto... poi tu vieni col tuo racconto e me lo leggi... e così vedremo se è vero che è tanto brutto."

In così dire si alzava, con un vivo movimento del corpo. Mi alzai anch'io tutto abbagliato, protestando che non ne valeva la pena, che il racconto era certamente brutto e non c'era niente da fare. Ma lei mi interruppe con un gesto della mano sulla bocca esclamando: "Via, via... non è ancora detto... ora vado di là e poi tu mi raggiungi." Prima che potessi parlare, era già uscita.

Rimasto solo, andai alla scrivania e presi macchinalmente il manoscritto. Così pensai, la sua buona volontà si rafforzava e non c'è dubbio che ella fosse sincera. Potevo sperare che questa buona volontà avrebbe trionfato alla prossima tentazione? Capii che soltanto l'avvenire mi avrebbe dato risposta.

Accesi una sigaretta e fumai, immobile, in piedi presso la

scrivania. Quando mi parve che fosse passato abbastanza tempo, uscii dal salotto, il manoscritto sotto il braccio e andai a bussare alla sua porta. Subito ella mi gridò di entrare, con voce cantante e giuliva.

Stava già in letto, con tutto il busto fuori delle coltri, in una magnifica camicia traforata e ornata di merletti. La camera era al buio salvo il capezzale sul quale batteva la luce della lampada del comodino. Ella sedeva appoggiata ai guanciali, le braccia allungate sulle coltri, accogliente e preparata. Aveva il viso imbellettato alla perfezione, con tutti i riccioli a posto e un nuovo mazzetto di fiori freschi sulla tempia sinistra. Era molto bella: con sul viso quella serenità scintillante e misteriosa in cui pareva soprattutto consistere la sua bellezza. Stupii guardandola al pensiero che quel viso così calmo e così luminoso avesse poco prima potuto deformarsi nel rosso sberleffo della libidine. Ella disse sorridendo: "Coraggio... mi sono messa la mia più bella camicia per ascoltarti."

Sedetti sul bordo del letto, di sbieco, e dissi: "Te lo leggo proprio perché lo vuoi... ma ti ho già detto che è brutto."

"Su, coraggio, ti ascolto."

Presi il primo foglio e incominciai a leggere. Lessi tutto il racconto senza mai fermarmi, tutt'al più gettando ogni tanto uno sguardo a lei che mi ascoltava seria e attenta. Leggendo mi confermavo nel mio primo giudizio: era una cosa decorosa e niente di più. Tuttavia questo decoro che poco prima mi era sembrato un aspetto senza importanza, adesso, non so perché, mi pareva che avesse più peso di quanto avessi immaginato. Ma quest'impressione meno sfavorevole non stornava il mio pensiero dalla sua preoccupazione dominante, che era mia moglie. Mi domandavo che cosa avrebbe detto alla fine della lettura. Pensavo che ella avesse due vie, la prima consistente nell'esclamare subito: "Ma Silvio, che dici, è una cosa bellissima," la seconda nell'ammettere che il racconto era mediocre. La prima era la via del disamore e del tradimento. Dandomi a intendere che il racconto era bello, mentre pensava che non lo era (e non poteva non pensarlo) ella avrebbe mostrato chiaramente che voleva portarmi per il naso, che tra me e lei non poteva esserci che un rapporto di falsità e di compassione. La seconda era la via dell'amore, sia pure un amore come il suo, fatto di buona volontà e di affetto. Mi domandavo che via avrebbe scelto, non senza ansietà. Ove avesse detto che il racconto era bello, ero deciso a gridare: "Il racconto è brutto e tu sei una gran puttana."

Con quest'idea in mente lessi tutto il racconto e a misura che mi avvicinavo alla fine, rallentavo il ritmo della lettura, timoroso di quanto sarebbe avvenuto. Finalmente lessi l'ultima frase e dissi: "Ecco tutto," levando gli occhi verso di lei.

Ci guardammo in silenzio; e io vidi sul suo viso, come una nube passeggera in un cielo terso, stendersi per un momento l'ombra dell'inganno. Per un attimo certamente ella pensò di mentirmi, di gridarmi che il racconto era bello e di svelarsi così del tutto fredda e astuta, in atto di porgermi la falsa consolazione di una lusinga pietosa. Ma questa ombra svanì quasi subito; e parve subentrare in lei l'amore per me che era prima di tutto verità e rispetto di me. Ella disse con voce sinceramente delusa: "Forse hai ragione tu... non è quel capolavoro che pensavi... ma non è neppur così brutto come tu pensi ora... si ascolta con interesse."

Risposi, pieno di sollievo e quasi con gioia: "Non te lo avevo detto?"

Ella riprese: "È scritto molto bene."

"Non basta scriver bene."

"Ma forse," ella disse, "non ci hai lavorato abbastanza... se tu lo rifacessi, più volte... alla fine sarebbe come tu lo vuoi."

Così pensava che anche in arte valeva più la buona volontà che non i doni dell'istinto. Dissi: "Ma io appunto lo voglio quale può produrlo un'ispirazione che c'è o non c'è... e se non c'è non vale lavorare e applicarsi."

Ella esclamò, animandosi: "È questo il tuo errore.. non dài abbastanza importanza al lavoro e all'applicazione... e invece ne hanno molta. Le cose si fanno soprattutto con il lavoro e l'applicazione e non a caso, come per miracolo."

Disputammo ancora per un poco fermi ambedue sui nostri due punti di vista così diversi. Finalmente piegai in quattro il manoscritto e me lo cacciai in tasca dicendo: "Basta, non parliamone più."

Ci fu un momento di silenzio. Poi dissi con dolcezza: "Non ti dispiace di aver per marito uno scrittore fallito?"

Ella rispose subito: "Io non ho mai pensato a te come ad uno scrittore."

"E allora cosa pensavi di me?"

Disse sorridendo: "Ma non so... come è possibile dirlo? Ti

conosco troppo bene, ormai... so come sei fatto... tu sei sempre lo stesso per me... che tu scriva o non scriva."

"Ma se tu dovessi dare un giudizio, quale giudizio daresti?"

Ella esitò, poi disse con sincerità: "Ma non si può dare un giudizio quando si vuol bene."

Così si tornava sempre allo stesso punto. C'era in questa sua protesta di volermi bene, un'ostinazione patetica che mi commosse. Le presi la mano e dissi: "Hai ragione... anch'io, appunto perché ti amo, sebbene ti conosca molto bene, non saprei giudicarti."

Ella esclamò con un lampo di intelligenza negli occhi: "Non è così? Quando si vuol bene, si vuol bene a tutti gli aspetti della persona amata... anche ai difetti."

Io avrei voluto dirle allora, con sincerità: "Io ti amo così come sei adesso, seduta sul letto, calma, serena con la tua bella camicia da notte, i tuoi riccioli, il tuo mazzetto di fiori e i tuoi occhi luminosi e limpidi e ti amo come sei stata poco fa mentre ballavi dalla voglia e digrignavi i denti e ti tiravi su la veste e ti stringevi ad Antonio... e ti amerò sempre." Ma non dissi nulla perché intendevo che ella aveva capito che io sapevo tutto e che tutto tra noi ormai era risolto. Le dissi invece: "Un giorno riscriverò il racconto, forse... non è ancora detta l'ultima parola... quando mi sembrerà di essere in grado di esprimere certe cose."

Ella disse con vivacità: "Anch'io sono convinta che devi riscriverlo... tra qualche tempo."

La salutai augurandole la buona notte e baciandola e andai a coricarmi. Dormii benissimo di un sonno profondo e amaro, come si dorme, bambini, dopo essere stati castigati per qualche colpa o capriccio dai genitori, dopo aver molto pianto e gridato e, alla fine, essere stati perdonati. La mattina dopo, mi alzai tardi, mi feci da solo la barba e, dopo la prima colazione, proposi a mia moglie di fare una passeggiata in attesa del pranzo. Ella accettò e uscimmo insieme.

Poco più su del cascinale dei mezzadri, in cima alla collina, c'era il rudere di una piccola chiesa. Salimmo fino lassù per una mulattiera e ci sedemmo sul muretto che limitava il sagrato, in vista all'immenso panorama. La chiesa era di una grande antichità, come attestavano i capitelli di stile romanico delle due colonne che sorreggevano il portico esterno. Oltre questo portico non restavano che parte delle mura a guardare l'abside crollata e un mozzicone quasi irriconoscibile di campanile. Il sagrato lastricato di vecchie pietre grige era tutto invaso dalle erbacce e, sotto il piccolo portico, la rustica porta di assi sconnesse lasciava intravvedere per le fenditure gli arbusti folleggianti e splendenti di sole che si aggrovigliavano nell'abside. Allora, guardando alla chiesa, notai che su uno dei capitelli era scolpita una faccia o una maschera. Il tempo aveva corroso e levigato questa scultura che doveva sempre essere stata piuttosto rozza e adesso pareva quasi informe; ma non tanto che non si distinguesse la grinta di un demonio quale gli scultori di quell'epoca erano soliti effigiare ad ammonimento dei fedeli nei bassorilievi delle chiese. Mi colpì ad un tratto, in quella vetusta smorfia semicancellata, una lontana somiglianza con lo sberletto che avevo veduto in viso a mia moglie la notte avanti. Sì, era la stessa smorfia, e quello scalpellino dei tempi perduti aveva certamente voluto alludere allo stesso genere di tentazione, caricando la sensualità lamentosa delle grosse labbra e la espressione infuocata e cupida degli occhi. Stornai gli occhi dal capitello e guardai Leda. Ella contemplava il panorama e pareva riflettere. Poi si voltò verso di me e disse: "Senti... ho pensato stanotte al tuo racconto... mi sembra di aver capito perché non convince."

"Perché?"

"Tu hai voluto rappresentare te e me, non è vero?"

"Sì, in certo modo."

"Ebbene, tu l'hai fatto su premesse sbagliate... ossia si sente che quando hai scritto il racconto non conoscevi abbastanza bene me e neppure te stesso... forse per parlare di noi due e dei nostri rapporti, era troppo presto... soprattutto me, mi hai rappresentata come non sono... troppo idealizzata."

"E allora?"

"E allora nulla... penso che tra qualche tempo, quando ci conosceremo meglio, tu dovresti, come ti dissi ieri sera, riprendere il racconto... sono sicura che farai una bella cosa."

Io non dissi nulla e mi limitai ad accarezzarle la mano. Intanto, al disopra della sua spalla, guardavo il capitello con la faccia del demonio e pensavo che per riprendere il racconto avrei dovuto non soltanto conoscere il diavolo altrettanto bene che l'ignoto scalpellino, ma anche il suo contrario. "Ci vorrà molto tempo," dissi piano concludendo ad alta voce questo mio pensiero.

INDICE

ANNOTAZIONI

ANNOTAZIONI

ANNOTAZIONI

I GRANDI Tascabili Bompiani
Periodico mensile anno XVIII numero 437
Registr. Tribunale di Milano n. 269 del 10/7/1981
Direttore responsabile: Francesco Grassi
Finito di stampare nel luglio 2000 presso
Il Nuovo Istituto Italiano d'Arti Grafiche - Bergamo
Printed in Italy

ISBN 88-452-4539-X